세종 한국어

더하기 활동

2B

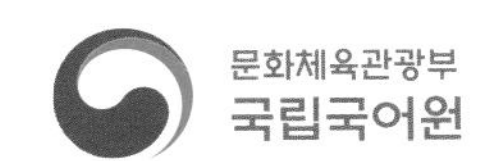

발간사

최근 전 세계인이 접하는 한류 콘텐츠의 규모가 늘어나면서 한류 문화가 확산되고 있고, 그 결과로 한국어를 배우고자 하는 외국인 학습자의 기세가 매우 놀랍습니다. 세계 곳곳이 코로나19로 침체기를 겪던 2021년에도 한국어능력시험 응시자는 30만 명을 훌쩍 넘었으며, 문화체육관광부의 세종학당은 2007년 13곳에서 2022년에는 84개국 244개소로 증가하였습니다. 이러한 한류의 지속적인 확산을 뒷받침하기 위해서는 한국어교육의 탄탄한 지원이 필요합니다.

한류 콘텐츠와 함께 성장하는 한국어교육의 토대를 다지기 위해, 문화체육관광부와 국립국어원은 2011년 처음 발간된 《세종한국어》를 새로 다듬기로 하였습니다. 2019년부터 기초 연구를 시작한 교재 개정 작업은 3년의 시간을 들여, 2022년 드디어 새로운 《세종한국어》를 펴내게 되었고, 이를 세종학당재단과 함께 알리게 되었습니다.

새롭게 개정된 《세종한국어》는 첫째, 세종학당 곳곳에서 한국어를 배우고자 하는 열의로 가득 찬 외국인 학습자 중심의 교재를 지향하였습니다. 둘째, 현지 세종학당의 학습 환경에 따라 유연하게 활용할 수 있는 맞춤형 교재로 정비되었습니다. 셋째, 한류 콘텐츠에 대한 외국인들의 관심을 내용에 반영함으로써, 한국어 공부에 대한 학습자의 부담을 낮췄습니다. 마지막으로 세종학당을 대표하는 표준 교재로서 구심점 역할을 담당하고, 이후의 한국어 학습을 위한 연계성도 잘 갖추었습니다.

세종학당은 한국어와 한국 문화로 한국과 세계를 연결하는 대한민국 대표의 국외 한국어교육 기관입니다. 국립국어원과 문화체육관광부는 앞으로도 세종학당재단과 협력하여 전 세계에서 한국어를 사랑하는 이들이 꿈을 이룰 수 있도록 지속적인 노력과 지원을 아끼지 않겠습니다.

끝으로 교재 개발을 위해 최선의 노력을 기울여 주신 연구·집필진과 출판사 관계자분들께 진심으로 감사의 말씀을 드립니다. 《세종한국어》의 새로운 출발과 함께 문화체육관광부와 국립국어원, 세종학당재단이 세계로 더 나아갈 수 있도록 여러분의 따뜻한 관심 부탁드립니다.

2022년 8월

국립국어원장 장소원

머리말

세종학당은 한국과 전 세계를 연결하는 한국어·한국 문화 보급 기관입니다. 이번에 개발한 교재는 상호 문화주의에 기반하여 한국어 학습에 대한 학습자의 흥미를 증진함으로써 한국어 의사소통 능력을 향상시키는 것을 목표로 하였습니다. 이를 위해 최근 한국의 상황을 적극적으로 반영하였고 최신 교수법을 구현할 수 있는 새로운 구성과 디자인을 적용하였습니다. 이를 통해 국외 한국어교육의 방향성을 새롭게 제시하고자 하였습니다. 개정 《세종한국어》의 구체적 특징은 다음과 같습니다.

첫째, 세종학당의 표준 교육과정인 가형, 나형, 다형 전 과정에 탄력적으로 활용할 수 있도록 '기본 교재'와 '더하기 활동 교재'로 구분하였습니다. '기본 교재'에는 해당 등급에 필요한 핵심적인 내용을 담았으며, '더하기 활동 교재'에는 심화·확장이 필요한 언어 지식과 의사소통 활동을 담았습니다. 이를 통해 다양한 학습자 특성에 맞게 교재를 선택하여 사용할 수 있도록 하였습니다.

둘째, 효과적 교수·학습을 위해 단계별로 단원 구성을 차별화하였으며 학습 내용 또한 언어 발달 단계에 맞는 교수 학습 내용과 절차를 적용하였습니다. 특히 다양한 삽화와 시각적 자료를 적극적으로 제시하여 한국어 학습의 흥미를 극대화할 수 있도록 노력하였습니다.

셋째, 교재 전반에 생생한 한국 문화 내용을 배치하여 학습자들이 상호 문화적 관점에서 한국 문화를 이해하고, 궁극적으로는 자국의 문화와 한국 문화에 대한 바른 태도를 형성할 수 있도록 하였습니다.

넷째, 교재와 함께 '익힘책', '교사용 지도서', '어휘·표현과 문법', 수업용 PPT와 같은 보조 자료들을 개발하여 교사·학습자의 요구에 맞게 교재를 활용할 수 있도록 하였습니다.

이 교재를 기획하고 개발하는 모든 과정에 함께해 주신 국립국어원과 현지 학당과의 협조와 지원을 아끼지 않으신 세종학당재단, 그리고 학습자들이 재미있게 한국어를 배울 수 있도록 멋지게 디자인해 주신 공앤박출판사에 감사의 마음을 전하고 싶습니다. 끝으로 3년이라는 긴 시간 동안 오로지 한국어교육에 대한 열정으로 좋은 교재를 만들어 내기 위해 애써 주신 모든 집필진께 말로는 다할 수 없는 깊은 감사의 마음을 전합니다.

2022년 8월

저자 대표 이정희

차례

모임 준비

1. 우리 반 친구들하고 파티를 하려고 해요. 어떤 친구가 무엇을 준비하면 좋을까요? 그 이유는 뭐예요? 다음과 같이 이야기해 보세요.

	이름	이유
☐ 게임을 준비하다	유진	유진 씨는 게임을 좋아해요. 그래서 재미있는 게임을 많이 알고 있어요.
☐ 장소를 알아보다		
☐ 인기 있는 음악을 찾아보다		
☐ 간식을 준비하다		
☐ 게임을 준비하다		
☐ 음식을 주문하다		
☐ 친구들에게 연락하다		
☐		

2. 우리 반 친구들의 취향을 물어 봐요. 같은 취향을 가진 친구들의 이름을 쓰고 발표해 보세요.

간식 어떤 간식을 좋아해요?

- 빵: 나
- 과자: 지민, 재민
- 아이스크림: 지은
- 커피: 마리

지민 씨하고 재민 씨는 과자를 좋아해요. 지민 씨하고 재민 씨는 같은 취향을 가지고 있어요.

1) 프로그램 어떤 프로그램을 자주 봐요?

- 드라마: ....
- 뉴스: ....
- 음악 프로그램: ....
- .... : ....

2) 머리 어떤 머리 스타일을 좋아해요?

- 긴 머리: ....
- 짧은 머리: ....
- 파마머리: ....
- .... : ....

3)

- .... : ....
- .... : ....
- .... : ....
- .... : ....

※ 예: 음악, 운동, 음식…

-(으)ㄹ래요? -(으)ㄹ게요

1. 우리 반 친구들과 같이 하고 싶은 것을 이야기해 보세요.

안나 : 케이팝(K-POP) 콘서트 표가 있는데 토요일에 같이 갈래요?
마리 : 네. 갈래요.
주노 : 아니요. 미안하지만 토요일에 약속이 있어요. 다음에 같이 가요.

1) 어떤 질문을 하면 친구들이 "네"라고 말할까요? 잘 생각해서 질문을 만들어 보세요.

→ ....

→ ....

2) 어떤 친구의 질문이 "네"라는 대답을 가장 많이 받았어요? 그 질문은 뭐예요?

2. 카드를 하나씩 골라 친구와 대화를 만들어 보세요. 활동카드 71쪽

1) 선생님께 카드를 받으세요.
2) 내용이 안 보이게 뒤집어 놓으세요.
3) 카드를 하나씩 보고 다음과 같이 읽어 보세요.
4) 누가 이 일을 할 거예요? 누가 도와줄 거예요? 하고 싶은 사람이 '-(으)ㄹ게요'를 사용해서 이야기해 보세요.
5) 빈 카드가 나오면 여러분이 생각해서 질문을 만들어 보세요.
6) 모두 한 가지 일은 꼭 해야 해요. 누가 제일 많은 일을 하기로 했어요?

새 어휘 | 뒤집다/빌려주다

동아리 모임 준비

1. 수지 씨와 주노 씨가 동아리 모임에 대해 이야기해요. 다음을 잘 듣고 질문에 답하세요.

1) 이 동아리는 무슨 동아리예요?

....

2) 동아리 모임 계획표예요. 빈칸에 알맞은 말을 써 보세요.

- 이번 달 모임: .... 파티
- 모임 날짜: ....
- 모임 내용: ....

3) 같으면 ○, 다르면 × 표시를 하세요.

① 주노 씨가 친구들에게 연락할 거예요. (　　)
② 이번 동아리 모임은 학교에서 하기로 했어요. (　　)
③ 친구들이 많이 올 수 있는 주말에 모이려고 해요. (　　)

2. 여러분은 어떤 동아리 활동을 해요? 친구와 이야기해 보세요.

1) 여러분이 좋아하는 동아리가 있어요? 친구들이 모이면 뭘 해요?

2) 지금 가입한 동아리가 없으면, 어떤 동아리에 가입해 보고 싶어요? 어떤 모임에 가 보고 싶어요?

새 어휘 | 세계 / 가입하다

모임 초대

1. 요리 동아리 친구들이 동아리 모임을 안내하는 글을 썼어요. 다음 글을 읽고 질문에 답하세요.

우리 같이 요리할래요?

요리를 잘하고 싶은 분!
좋은 친구도 사귀고 맛있는 음식도 먹고 싶은 분!
요리 동아리 '맛있는 오후' 11월 모임에 초대합니다.^^

안녕하세요? 우리 동아리에서 '세계 요리 파티'를 하려고 해요. 이번 모임에서는 세계 요리를 먹으면서 다른 나라 문화 이야기도 할 거예요. 요리를 잘하는 친구들은 다른 나라 음식을 만들어서 가져오면 좋겠어요. 하지만 요리를 잘 못해도 괜찮아요. 여러 친구들이 모여서 같이 요리해 볼 거예요. 많이 놀러 오세요!

★ 날짜와 시간: 11월 27일 토요일 오후 1시
★ 장소: 세종 카페
★ 함께 하고 싶은 친구들은 25일 목요일까지 여기로 메일을 보내세요!
sujii@sjmail.com

1) 어떤 동아리 모임을 안내해요?

2) 이 모임은 언제 어디에서 해요?

3) 이 글을 왜 썼을까요?

4) 누가 이 글을 읽을까요?

2. 동아리 모임 안내 글은 어떻게 쓰면 좋을까요? 확인해 보세요.

- 어떤 동아리인지 잘 알 수 있는 제목을 써 보세요.
- 초대하고 싶은 사람을 쓰세요.
- 모임에서 무엇을 할 거예요? 모임 내용을 써 보세요.
- "꼭 오세요.", "많이 오세요." 등 초대하는 말을 쓰세요.
- 날짜와 시간, 장소, 연락처 등을 정확하게 쓰세요.

새 어휘 | 정확하다

이동 방법

1. 친구와 길을 묻고 대답해요. 다음과 같이 어떻게 가는지 말해 보세요.

활동카드 73, 75쪽

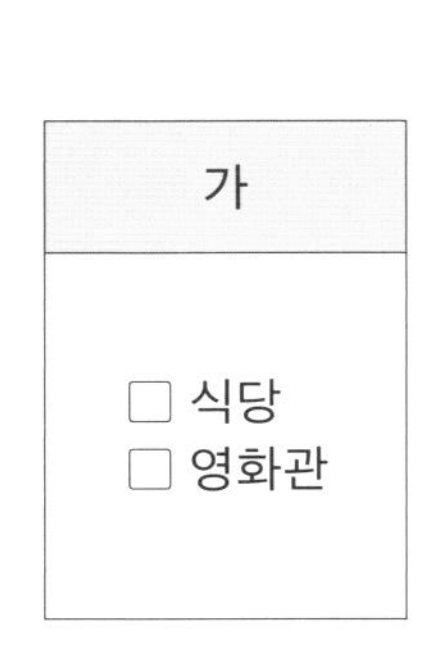

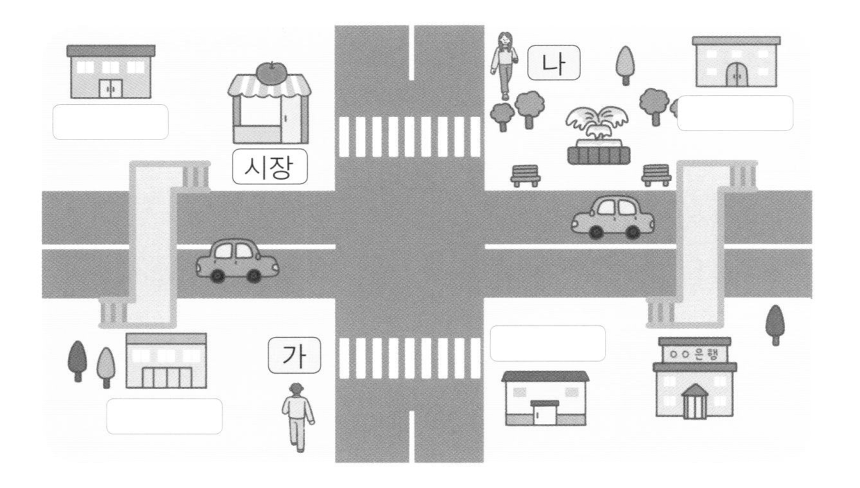

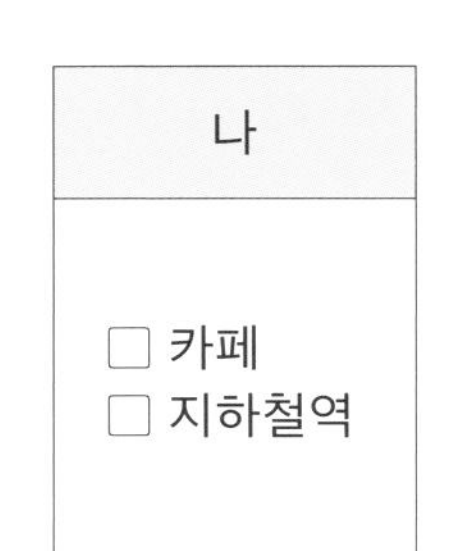

1) 두 사람이 한 팀을 만들고 선생님께 카드를 받으세요. 카드를 보고 빈칸에 알맞은 말을 넣어 길을 알려 주세요. '가'는 식당과 영화관을 물어보고, '나'는 카페와 지하철역을 물어보세요.

가: 공원에 어떻게 가요?

나: 먼저 앞으로 쭉 가세요. 그럼 사거리가 나와요. 사거리에서 횡단보도를 건너세요. 그리고 앞으로 조금 더 가면 은행이 나와요. 은행 앞에서 육교를 건너면 공원이 나와요.

2) 친구의 이야기를 잘 듣고 장소를 찾으면 빈칸에 장소 이름을 써 보세요.

2. 여러분이 좋아하는 곳이 있어요? 세종학당에서 거기까지 어떻게 가요? 다음과 같이 친구에게 말해 보세요.

좋아하는 곳	
뭘 타고 가요?	
시간이 얼마나 걸려요?	
어떻게 가요?	

제가 좋아하는 곳은 세종 카페예요. 세종학당 앞에서 버스를 타고 가요. 15분쯤 걸려요. 버스에서 내려서 100m쯤 앞으로 쭉 가면 오른쪽에 세종 카페가 있어요.

에서부터 | -(으)ㄹ

1. 알맞은 것을 연결하여 이야기해 보세요.

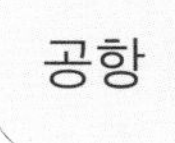

공항 부엌 서울 지하철역 집 고향 지하 ?

택시를 타고 오다 / 부산까지 여행을 하고 싶다 / 청소를 하다 / 한국까지 10시간이 걸리다

회사까지 뛰어오다 / 친구를 만나서 같이 오다 / 이상한 냄새가 나다 / ?

서울에서부터 부산까지 여행을 하고 싶어요.

2. 다음에서 단어를 하나씩 골라 친구와 이야기해 보세요.

내일	주말	다음 주	?

보다	가다	만나다	마시다	사다
공부하다	읽다	먹다	듣다	?

친구	곳	영화	물건	음료수
음식	음악	책	것	?

내일 만날 친구가 누구예요?

같이 한국어를 공부하는 친구예요.

새 어휘 | 뛰어오다 / 이상하다

여러 나라의 교통수단

1. 수지 씨와 주노 씨가 사진을 보면서 여러 나라 교통수단을 이야기해요. 다음을 잘 듣고 질문에 답하세요.

1) 나라와 교통수단을 알맞게 연결해 보세요.

① 오스트리아 •　　　　•

② 태국 •　　　　•

2) 같으면 ○, 다르면 × 표시를 하세요.

① 주노 씨는 태국에서 뚝뚝을 처음 타 봤어요. (　　　)
② 수지 씨는 태국에서 뚝뚝을 타 본 적이 있어요. (　　　)
③ 트램을 타면 밖의 경치를 잘 볼 수 있어요. (　　　)

2. 여러분은 어떤 교통수단을 이용해 봤어요? 친구와 이야기해 보세요.

1) 여러분 나라에서 사람들이 많이 이용하는 교통수단은 뭐예요?

2) 다른 나라에서 어떤 교통수단을 이용해 봤어요?
여러분 나라의 교통수단과 비슷했어요?

3) 여러분 나라에 어떤 교통수단이 있으면 좋겠어요?

새 어휘 | 바퀴/도로/이용하다

동아리 모임 안내

1. 동아리 모임을 안내하는 글을 쓰려고 해요. 아래 내용을 간단하게 메모해 보세요.

제목을 어떻게 쓸 거예요?	
누구를 초대하고 싶어요?	
모임에서 무엇을 할 거예요?	
언제, 어디에서 모임을 해요?	
모임 장소까지 어떻게 와요?	

2. 메모를 보고 동아리 모임 안내 글을 써 보세요.

____

안녕하세요? 우리 동아리에서 ' ______________ '을/를 하려고 해요.
이번 모임에서는 ______________________

____

____

모임 장소는 ______________ 예요/이에요. ______________

____

★ 날짜와 시간: ______________
★ 장소: ______________
★ 참여 방법: ______________

____

⊕ 더 알아봐요
- 1과 '읽고 쓰기'의 글을 다시 읽고 써 보세요.
- 모임과 관련된 사진, 그림이 있으면 붙일 수 있어요.

새 어휘 | 붙이다

선물

1. 안나 씨 생일이에요. 그래서 주노 씨가 선물을 해요. 다음을 보고 이야기해 보세요.

1) 그림을 보고 알맞은 것을 골라 써 보세요.

☐ 선물을 포장해요.	☐ 선물을 받아요.	☐ 선물을 골라요.
☐ 선물을 꺼내요.	☐ 포장을 풀어요.	☐ 선물을 줘요.

① 

선물을 포장해요.

② 

③ 

④ 

⑤ 

⑥ 

2) 1번의 표현을 보고 선물을 주는 순서대로 번호를 써 보세요.

(③) → ( ) → ( ) → ( ) → ( ) → (⑤)

2. 여러분이 어떤 선물을 했을 때 받는 사람이 좋아했어요? 왜 그 선물을 준비했어요? 다음과 같이 친구와 이야기해 보세요.

선물		
☐ 지갑	☐ 넥타이	☐ 핸드폰
☐ 노트북	☐ 목걸이	☐ 꽃
☐ 향수	☐ 편지	☐ ....

저는 동생에게 노트북을 선물한 적이 있어요. 동생이 대학생이 되었을 때 필요할 것 같아서 선물했어요. 동생이 노트북을 아주 좋아했어요.

-(으)시- | 에게만, 에게도

1 다음과 같이 카드를 연결해 문장을 만들어 보세요. 활동카드 77쪽

1) 두 명이 한 팀을 만드세요.
2) 선생님께 카드를 받아서 내용이 보이지 않게 책상 위에 뒤집어 놓으세요.
3) 한 친구가 분홍색 카드와 하늘색 카드를 하나씩 뽑아서 다음과 같이 문장을 만들어 보세요.
4) 문장을 잘 말하지 못하면 카드를 다시 뒤집어 놓으세요.
5) 문장을 맞게 말한 사람은 분홍색 카드를 가지세요.
6) 누가 분홍색 카드를 많이 가졌어요? 그 사람이 이기는 게임이에요.

2 여러분이 가지고 있는 것 중에 우리 반 친구들에게 주고 싶은 것이 있어요? 누구에게 무엇을 주고 싶어요? 다음과 같이 이야기해 보세요.

안나 씨가 향수를 좋아하니까 안나 씨에게만 향수를 주고 싶어요. 그리고 한국 친구에게 선물 받은 한국어 책이 많이 있어요. 주노 씨도 한국어를 공부하니까 한국어 책을 주고 싶어요. 유진 씨에게도 한국어 책을 주고 싶어요.

	주고 싶은 사람	주고 싶은 것	주고 싶은 이유
1)	안나	향수	안나 씨가 향수를 좋아해요.
	주노, 유진	한국어 책	모두 한국어를 공부해요.
2)			

새 어휘 | 분홍색/하늘색/이기다

선물 사기

1. 한국에 여행을 간 안나 씨가 가게에서 점원과 이야기해요. 다음을 잘 듣고 질문에 답하세요.

1) 안나 씨는 무엇을 사러 가게에 갔어요?

( )

2) 다시 대화를 잘 듣고 아래에서 알맞은 것을 찾아 빈칸에 써 보세요.

뭘 도와드릴까요	화장품이 좋을 것 같아요	손님들이 많이 사세요	부모님께 드릴 기념품
아주 좋아하세요	친구들에게도	마음에 드시는 것	

점원 : 어서 오세요. ① ______________________?

안나 : ② ______________________을 사려고 하는데요. 뭐가 좋을까요?

점원 : 홍삼이 인기가 많아요. 건강에 좋고 어른들이 ③ ______________________.

안나 : 아, 홍삼 들어 봤어요. 그거 하나 주세요. 그리고 ④ ____________ 선물을 하고 싶은데 뭐가 좋을까요?

점원 : 음. 화장품이나 한복을 입은 인형은 어떠세요? 외국 ⑤ ______________________.

안나 : ⑥ ______________________.

점원 : 네. 그럼 이쪽에서 ⑦ ______________________을 골라 보세요.

2. 여러분 나라에 외국인 친구들이 놀러 오면 무슨 선물을 주고 싶어요? 친구와 이야기해 보세요.

	무슨 선물을 주고 싶어요?	왜 그 선물을 주고 싶어요?
1)		
2)		
3)		

새 어휘 | 드리다 / 홍삼

소중한 추억

1. 마리 씨가 기억에 남는 선생님 이야기를 썼어요. 다음 글을 읽고 질문에 답하세요.

저는 대학교 3학년 때 한국어 수업을 들었습니다. 그때 김 선생님을 만났습니다. 김 선생님은 아주 친절한 분이셨습니다. 수업도 재미있어서 학생들이 모두 김 선생님을 좋아했습니다. 어느 날, 김 선생님께서 학생들을 집으로 초대하셨습니다. 우리는 김 선생님 댁에 가서 한국 음식을 같이 먹으면서 많은 이야기를 했습니다. 저는 선생님께 한국어를 배우고 한국 회사에서 일을 하고 싶었습니다. 그리고 열심히 공부해서 지금은 한국 회사에서 일을 하고 있습니다. 김 선생님은 지금도 제 고향의 대학에서 한국어를 가르치고 계십니다. 다시 고향에 가면 김 선생님을 만나고 싶습니다.

1) 마리 씨는 김 선생님을 언제, 어디에서 만났어요?

2) 김 선생님과 어떤 추억이 있어요?

3) 이 글을 왜 썼을까요?

4) 누가 이 글을 읽을까요?

2. 추억을 이야기하는 글은 어떻게 쓰면 좋을까요? 확인해 보세요.

√ 언제 경험한 일이에요?
√ 무슨 일이 있었어요?
√ 누구와, 무엇과 관계가 있어요?
√ 그때 기분이 어땠어요?

3. 부모님, 선생님 등 윗사람에 대해 이야기할 때는 '-(으)시-'를 사용해요. 그리고 아래와 같이 특별한 어휘도 높임을 표현해요. 읽어 보세요.

친구, 동생, 언니, 오빠	부모님, 선생님, 할머니, 할아버지
사람	분
이름	성함
집	댁

친구, 동생, 언니, 오빠	부모님, 선생님, 할머니, 할아버지
자다	주무시다
먹다, 마시다	드시다
있다	계시다

1) 윗글에서 '-(으)시-'와 높임을 표현하는 단어들을 찾아 밑줄을 그어 보세요.

새 어휘 | 추억/그때

기분

1. 여러분은 언제 기분이 안 좋아요? 기분이 안 좋을 때 보통 무엇을 해요? 다음과 같이 이야기해 보세요.

기분이 나빠요	저는 물건을 잃어버렸을 때 기분이 나빠요. 기분이 나쁠 때는 보통 친구들을 만나요.
힘들어요	
짜증이 나요	
걱정이 많아요	
지루해요	
화나요	

2. 기분이 좋을 때 어떤 말을 할까요? 드라마나 영화에서 들은 표현이 있어요? 여러분이 아는 다른 표현도 이야기해 보세요.

새 어휘 | 화나다/날아가다/멈추다

-다가 | -아/어 주다

1. 여러분은 어떤 일을 하다가 그만둔 적이 있어요? 왜 그만두었어요? 다음과 같이 이야기해 보세요.

공부	운동	결심	취미
외국어 공부 자격증 공부 ⋮	태권도 조깅 ⋮	저금하기 매일 산책하기 ⋮	피아노 치기 서핑 배우기 ⋮

저는 작년에 태권도를 배우다가 그만둔 적이 있어요. 태권도는 재미있었지만 시간이 없어서 그만두었어요. 올해 다시 배우고 싶어요.

2. 다음과 같이 친구의 말을 듣고 대화를 만들어 보세요.

1) 모두 도움을 요청할 수 있는 상황을 생각합니다.
2) 한 사람씩 앞에 나와서 생각한 상황을 표현하며 이야기합니다.
   예) 무거운 것을 들고 있는 모습으로 "아이고, 가방이 너무 무거워요."라고 말합니다.
3) 이 말을 듣고 다른 사람이 손을 들고 '-아/어 줄까요?'를 사용해서 도와주는 말을 합니다.
   예) "가방을 들어 줄까요?"
4) 친구가 한 말이 맞으면 대답을 하고 자리로 돌아갑니다.
   예) "네. 가방을 좀 들어 주세요. 감사합니다."
5) 다음은 3)에서 손을 들고 이야기한 사람이 앞에 나와서 다시 1)에서부터 다른 상황을 이야기합니다.

새 어휘 | 자격증/조깅/저금하다/서핑/도움/요청하다/상황/모습

특별한 경험

1. 다른 사람이 하기 어려운 특별한 경험을 한 적이 있어요? 다음을 잘 듣고 질문에 답하세요.

01

1) 다음을 듣고 알맞은 그림을 고르세요.

①

②

③

④

2) 들은 내용과 다른 것을 고르세요.

① 여자는 배우의 팬클럽 회원이에요.
② 여자는 한국말을 배운 적이 있어요.
③ 여자는 오늘 남자를 처음 만났어요.
④ 여자는 비행기표에 사인을 받을 거예요.

2. 여러분은 특별한 경험이 있어요? 친구와 이야기해 보세요.

- 비행기 안에서 배우를 만났어요. 이야기도 하고 사인도 받았어요.
- 우리 학교에서 드라마를 찍었는데 저도 잠깐 텔레비전에 나왔어요.
- ....
- ....

새 어휘 | 팬/팬클럽/뒷면/사인/드라마를 찍다

특별한 기억

1. 여러분의 '특별한 기억'에 대해 글을 쓸 거예요. 아래 내용을 간단하게 메모해 보세요.

특별한 선물 | 특별한 사람 | 특별한 장소 | 특별한 시간

언제 경험한 일이에요?	
누구와, 무엇과 관계가 있어요?	
무슨 일이 있었어요?	
그때 기분은 어땠어요?	

2. 메모를 보고 특별한 기억에 대한 글을 써 보세요.

3. 글을 쓴 후에 발표해 보세요.

⊕ **더 알아봐요**

- 3과 '읽고 쓰기'의 글을 다시 읽고 써 보세요.
- 글을 쓰고 선생님께 확인을 받은 후 '다시 쓰기'를 해 보세요.

공연 관람 예절

1. 다음 그림에 있는 사람들이 어떤 행동을 하고 있어요? 알맞은 말을 연결해 보세요.

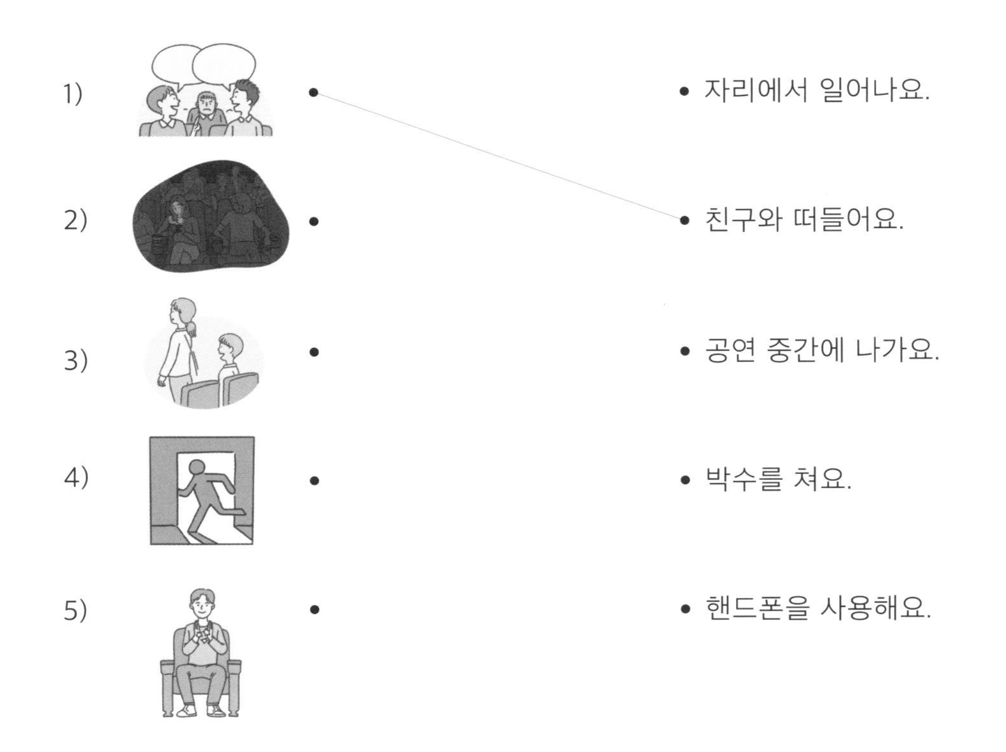

1) •　　• 자리에서 일어나요.

2) •　　• 친구와 떠들어요.

3) •　　• 공연 중간에 나가요.

4) •　　• 박수를 쳐요.

5) •　　• 핸드폰을 사용해요.

2. 위에 있는 행동으로 새로운 이야기를 만들어 보세요. 행동의 순서는 바꿀 수 있어요.

순　서: 3) → 5) → 1) → 2) → 4)

이야기: 저는 주말에 조카와 연극을 보러 갔어요. 공연을 보는데 조카가 자꾸 일어나서 크게 박수를 치고 떠들었어요. 그런데 저도 핸드폰을 끄지 않아서 핸드폰에서 소리가 났어요. 사람들이 안 좋아했어요. 저는 너무 부끄러워서 공연 중간에 조용히 나갔어요.

순　서: → → → →

이야기:

새 어휘 | 순서/조카/부끄럽다

-네요 | -지 말다

1. 그림을 보고 문장을 완성해 보세요.

□ 빨리 도착하다 □ 예쁘다 □ 멋있다 □ 막히다

이번 주에 이 카페에 네 번 왔어요.

안나 씨는 여기에 자주 오네요.

1)  오늘 길이 많이 ....

2)  아직 7시인데 ....

3) 케이크가 정말 ....

4)  공연 무대가 아주 ....

2. 다음 수업 안내문을 보고 친구에게 잘못 이야기한 사람을 고르세요.

- 이번 주에는 103호가 아니고 107호에서 수업을 합니다.
- 이번 주 숙제는 이메일로 내세요.
- 다음 달 문화 수업에 가고 싶은 사람은 이번 주까지 신청하세요.
- 수업 시간에 늦지 마세요.

① 안나: 숙제는 이메일로 내야 해요.
② 유진: 이번 주에는 103호로 가지 마세요.
③ 주노: 수업 시간에 지각하지 말고 빨리 오세요.
④ 마리: 다음 주에 문화 수업을 신청할 수 있어요.

3. 다음 장소 중에서 하나를 골라 그곳에서 하지 말아야 할 것을 이야기해 보세요.

영화관	교실	사무실	박물관	?

- 장소: 영화관
- 영화 볼 때 친구와 떠들지 마세요.

⋮

- 장소:
- ....
- ....
- ....

새 어휘 | 무대/신청하다

공연 관람

1. 공연장에서 안내 방송을 들어 본 적이 있어요? 다음을 잘 듣고 질문에 답하세요.

1) 이 공연장에서는 무슨 공연을 해요? ① 연극 ② 뮤지컬 ③ 연주회 ④ 춤 공연

2) 이 공연장에서는 무엇을 지켜야 해요? 들은 것을 모두 고르세요.

① 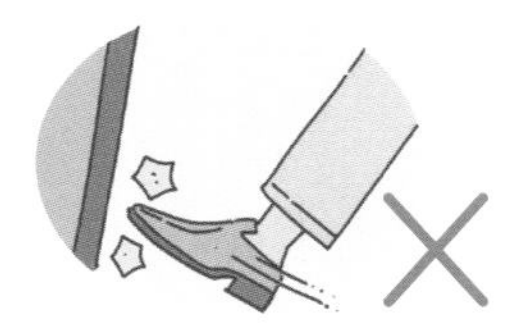

② 

③ 

④ 

⑤ 

⑥ 

안내 방송에서는 '-(으)세요'를 '-(으)십시오'로 많이 말해요.

2. 여러분은 친구와 함께 케이팝(K-POP) 콘서트에 가려고 해요. 공연 중에 할 수 있는 것과 하지 말아야 하는 것을 메모하고 말해 보세요.

공연 중에 사진을 찍지 마세요.
노래를 크게 따라 부를 수 있어요.
공연 중에 자리를 바꾸지 마세요.

새 어휘 | 뮤지컬/연주회/연주하다

에스엔에스(SNS)

1. 재민 씨와 수지 씨가 에스엔에스(SNS)에 글을 올렸어요. 다음 글을 읽고 질문에 답하세요.

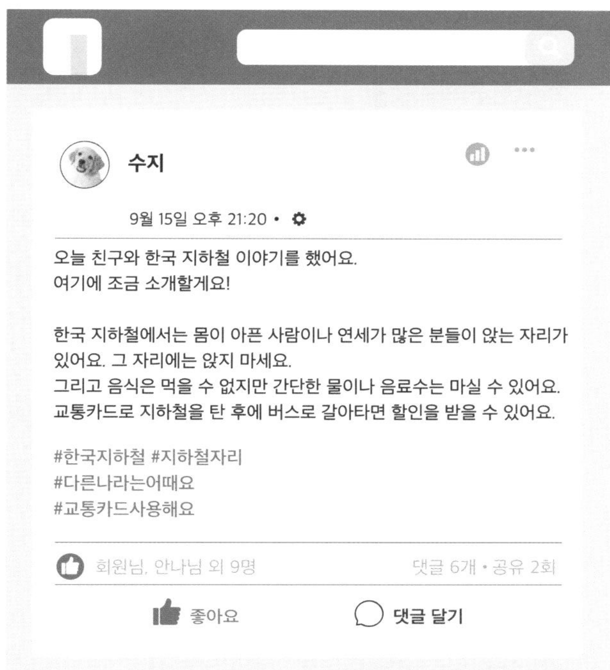

1)

- 누가 썼어요?
- 누구하고 같이 있어요?
- 어디에 있어요?
- 누가 이 글에 '좋아요'를 눌렀어요?
- 댓글이 몇 개 있어요?

2)

- 누가 썼어요?
- 무슨 이야기를 썼어요?
- 누가 이 글에 '좋아요'를 눌렀어요?
- 이 글을 몇 명이 공유했어요?

2. 에스엔에스(SNS)에 쓰는 글은 어떤 특징이 있을까요?

√ 글을 쓰지만 말하는 것처럼 쓸 수 있어요.
√ 글을 쓰지 않고 사진만 올릴 때도 있어요.
√ 일상생활, 공부, 일, 생각 등 여러 가지 이야기를 쓸 수 있어요.
√ 내가 쓴 글에 대해서 친구들과 같이 이야기할 수 있어요.
√ 다른 사람이 쓴 글에 대해서 내 생각을 쓸 수 있어요.
√ ....
√ ....

⊕ **더 알아봐요**

- 실제 에스엔에스(SNS)를 함께 살펴보세요.
- 휴대폰, 컴퓨터로 한국어를 쓰는 방법을 함께 알아보세요.

새 어휘 | 댓글 / 공유(하다) / 연세 / 교통 카드 / 할인 / 누르다 / 일상생활

공공장소 규칙

1. 공공장소에서 이런 행동을 하는 사람을 봤어요. 좋으면 ☺, 좋지 않으면 ☹ 에 √ 표시를 해 보세요.

1) 공원에서 쓰레기를 버려요.	☺ ☹
2) 버스를 탈 때 천천히 타요.	☺ ☹
3) 지하철을 탈 때 줄을 서서 기다려요.	☺ ☹
4) 은행에서 급한 일이 있어서 시끄럽게 통화해요.	☺ ☹
5) 지하철역에 사람이 많아서 안전선을 넘어서 기다려요.	☺ ☹

2. 지켜야 하는 규칙이 특별한 곳도 있어요. 그림을 보고 이야기해 보세요. 그리고 여러분이 알고 있는 곳도 소개해 보세요.

1)

2)

- 저는 특별한 전시회를 알아요. 거기에서는 그림을 직접 만질 수 있어요.
- 한국 친구에게 '스터디 카페'에 대해서 들었어요. 공부할 수 있는 도서관과 비슷한 카페예요. 그런데 이야기를 할 수 있는 곳도 있고 노래도 나와요.

3. 여러분은 공공장소에서 실수한 적이 있어요? 다음과 같이 이야기해 보세요.

은행에서 오랜만에 친구를 만나서 큰 소리로 이야기했어요.
사람들이 쳐다봐서 바로 조용히 이야기했어요.

영화관에서 영화를 볼 때 전화가 왔어요. 소리가 커서 깜짝 놀랐어요.

새 어휘 | 급하다/전시회/스터디 카페/쳐다보다/깜짝/놀라다

-아도/어도 되다 | -(으)면 안 되다

1. 다음 상황에서 어떻게 말해요? 그림을 보고 알맞은 것을 골라 이야기해 보세요.

- ☐ 이 치마 입어 보다
- ☐ 화장실에 가다
- ☐ 안에서 노트북을 사용하다
- ☐ 사진을 찍다
- ☐ 잠깐 휴대폰을 쓰다
- ☐ 커피를 가지고 들어가다
- ☐ 먼저 가다
- ☐ 하나 먹어 보다
- ☐ ....

화장실에 가도 돼요?

네. 그럼요./아니요. 안 돼요.

2. 다음 공공장소 중 하나를 선택해서 해도 되는 것과 하면 안 되는 것을 메모하고 이야기해 보세요.

장소	☐ 병원 ☐ 은행 ☐ 공항 ☐ 지하철역 ☐ ....
해도 되는 것	• .... • .... • ....
하면 안 되는 것	• .... • .... • ....

공연 관람 약속

1. 재민 씨와 안나 씨가 오늘 약속이 있어서 만나요. 다음을 잘 듣고 질문에 답하세요.

01

1) 두 사람은 오늘 무엇을 해요?

① 
② 
③ 

2) 같으면 ○, 다르면 × 표시를 하세요.

① 안나 씨는 지금 커피를 샀어요. ( )
② 재민 씨는 급한 전화를 해야 해요. ( )
③ 재민 씨는 먼저 공연장에 들어갈 거예요. ( )

3) 재민 씨가 안나 씨에게 한 말 중 맞는 것을 고르세요.

① 늦으면 안 돼요.
② 커피를 가지고 와도 돼요.
③ 뮤지컬이 시작하면 조용히 들어오세요.

2. 여러분은 다음 상황에서 어떤 이야기를 해 줄 수 있어요? 그림을 보고 '-(으)면 안 되다, -아도/어도 되다' 중 하나를 선택해서 친구와 이야기해 보세요.

공공장소의 규칙

1. 여러분 나라에서는 공공장소에서 특별히 무엇을 조심해야 해요? 에스엔에스(SNS)에 소개하고 싶은 내용을 생각해 보고 간단하게 메모해 보세요.

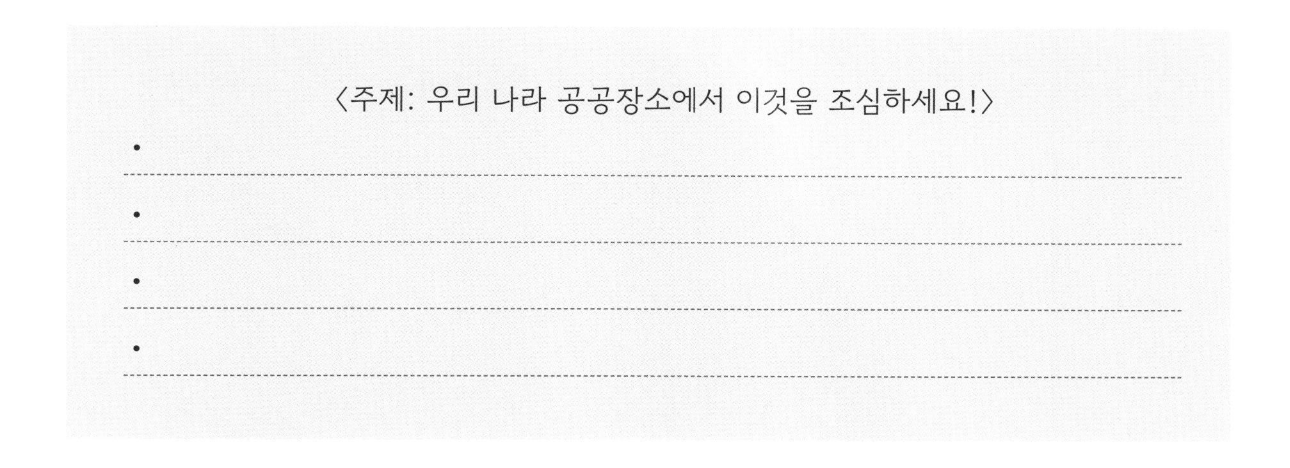

2. 메모를 보고 에스엔에스(SNS)에 글을 써 보세요.

님

년 월 일 •

#
#

회원님 외 님 외 명 댓글 개 • 공유 회

좋아요 댓글 달기

⊕ **더 알아봐요**

- 에스엔에스(SNS) 글쓰기는 다른 글보다 좀 더 자유롭게 써도 괜찮아요.
- 5과 '읽고 쓰기'의 글을 다시 읽고 써 보세요.
- 이모티콘이나 요즘 쓰는 새로운 말이 궁금하면 선생님과 이야기해 보세요.
- 책에 써 본 글을 실제 에스엔에스(SNS)에도 올려 보세요.

성격

1. 여러분의 성격은 어때요? 그리고 어떤 성격을 가장 고치고 싶어요? 다음과 같이 메모하고 이야기해 보세요.

□ 성격이 좋아요.	□ 성격이 급해요.	□ 성격이 밝아요.	□ 착해요.	□ 재미있어요.
□ 조용해요.	□ 말이 많아요.	□ 말이 적어요.	□ 부지런해요.	□ 게을러요.
□ 활발해요.	□ 친구를 잘 도와줘요.	□ ______	□ ______	□ ______

저는 성격이 밝고 활발해요.
그리고 친구를 잘 도와줘요.
하지만 저는 조금 게을러요.
부지런했으면 좋겠어요.

______
______
______
______

2. 다음과 같이 배운 단어를 사용해서 친구와 이야기해 보세요.

1) 가 : 어떤 사람이 좋아요?
나 : ______.

2) 가 : 친한 친구의 성격이 어때요?
나 : ______.

3) 가 : 어떤 사람을 만나고 싶어요?
나 : ______.

마리 씨는 어떤 사람이 좋아요?

저는 착하고 부지런한 사람이 좋아요.

에게서, 한테서, 께 / -(으)니까

1. 다음에서 알맞은 것을 골라 문장을 만들어 보세요.

☐ 박 선생님	☐ 할아버지	☐ 할머니
☐ 부모님	☐ 동생	☐ 친구

☐ 한국어를 배우다	☐ 크리스마스 선물을 받다	☐ 꽃다발을 받다
☐ 전화를 받다	☐ 옛날이야기를 듣다	

저는 박 선생님께 한국어를 배웠어요.

저는 동생에게서 한국어를 배웠어요.

1) ....

2) ....

3) ....

2. 다음과 같이 문장을 완성하고 이야기해 보세요.

창밖을 보니까 비가 오고 있었어요.
제 자전거가 없었어요.
친구가 지나가고 있었어요.
⋮

제 자전거가 없었어요.

창밖을 보니까…

비가 오고 있었어요.

1) 집에 도착하니까 ....

2) 놀이공원에 들어가니까 ....

3) 상자 안을 보니까 ....

4) 냉장고를 열어 보니까 ....

5) 전화를 받으니까 ....

6) 눈을 뜨니까 ....

새 어휘 | 꽃다발 / 옛날이야기 / 창밖 / 뜨다

새로운 만남

1. 재민 씨가 회사의 같은 팀에서 일하는 동료와 이야기해요. 다음을 잘 듣고 질문에 답하세요. 01

1) 재민 씨는 누구에게서 여자의 소식을 들었어요?

① 친구 ② 과장님 ③ 교육팀 동료

2) 같으면 ○, 다르면 × 표시를 하세요.

① 재민 씨는 지금 교육팀에서 일해요. ( )

② 교육팀 사람들은 친절하고 부지런해요. ( )

③ 여자는 다음 달부터 교육팀에서 일해요. ( )

2. 새로 만난 사람에 대해 친구와 이야기해 보세요.

	1)	2)	3)
대상	새로 이사 온 히엔 씨	우리 팀에 새로 온 직원	우리 헬스장에 새로 등록한 사람
누구한테서?	친구	과장님	선생님
어떤 사람?	활발하다, 성격이 좋다	다른 사람을 잘 도와주다	............, ...

새로 이사 온 히엔 씨를 알아요?

아니요. 아직 못 만났어요. 어떤 사람이에요?

친구한테서 들으니까 활발하고 성격이 좋은 사람인 것 같아요.

새 어휘 | 과장님/교육팀/헬스장/등록하다

소중한 친구

1. 친구 미나 씨에 대한 글이에요. 다음 글을 읽고 질문에 답하세요.

소중한 친구, 미나

저의 친한 친구는 미나입니다. 저는 대학교 때 미나를 처음 만났습니다. 미나는 키가 크고 예쁩니다. 옷도 잘 입습니다. 미나는 똑똑하고 정말 부지런한 사람입니다. 그래서 대학교 때 공부도 잘하고 인기도 많았습니다. 미나는 성격이 조금 급하지만 확인을 잘 해서 실수를 많이 하지 않습니다. 미나는 그림 그리는 것을 좋아해서 그림 동아리 활동을 했습니다. 제 생일에 미나한테서 직접 그린 그림을 선물 받은 적도 있습니다. 지금도 만나면 그림 이야기를 많이 합니다. 미나는 정말 소중한 친구입니다.

1) 미나의 외모와 성격은 어때요? 미나는 무엇을 좋아해요? 말해 보세요.

2) 윗글에는 어떤 내용이 있어요? 또 무슨 내용을 더 쓸 수 있어요?

- 처음 만난 시기
- 성격
- 외모
- 좋아하는 것
- 특별한 기억
- ....
- ....

3) '묘사하는 글'은 어떤 글이에요? 확인해 보세요.

- 어떤 것을 자세히 설명한 글이에요.
- 사람을 설명할 수도 있고, 물건이나 장소를 설명할 수도 있어요.
- 묘사하는 글을 읽으면 설명한 것을 잘 알 수 있어요.

2. 다음 문장을 잘 읽어 보세요. 문장마다 한 개의 실수가 있어요. 찾아서 고쳐 쓰세요.

1) 저는 조금 게으르는 사람입니다. .... → ....

2) 해리 씨는 친구를 잘 도워줘요. .... → ....

3) 제 친구는 말이 없은 성격입니다. .... → ....

4) 선생님께 들었으니까 좋은 사람인 것 같아요. .... → ....

새 어휘 | 실수/시기/묘사하다/자세히

외모

1. 여러분의 외모는 가족들과 비슷해요? 아니면 달라요? 다음과 같이 메모하고 말해 보세요.

- 우리 가족은 모두 키가 좀 작아요. 그런데 저만 키가 커요. 어렸을 때 농구를 자주 해서 그런 것 같아요.
- 저는 가족 중에서 손가락이 가장 길어요. 피아노를 많이 쳐서 그런 것 같아요.
- 우리 가족은 모두 날씬해요. 그런데 요즘 저는 살이 쪄서 좀 통통해요.

2. 반 친구들과 함께 '누구일까요?' 게임을 해 보세요.

1) 여러 가지 방법으로 순서를 정하세요.

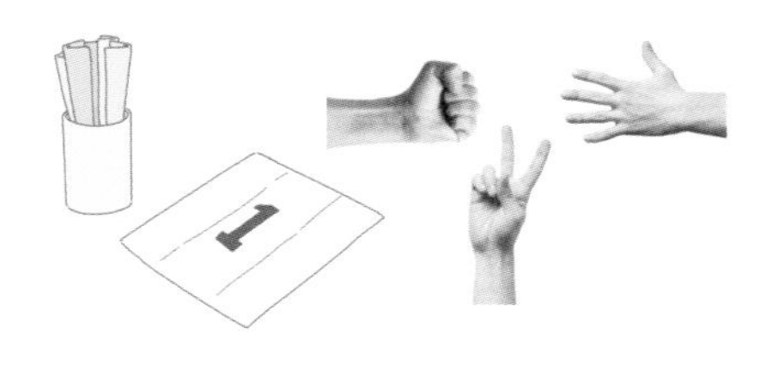

2) 순서대로 앞에 나와서 반 친구 중 한 명을 생각하고 작은 종이에 쓰세요.

3) 앞에 있는 친구가 생각하는 사람이 누구일까요? 손을 들고 외모와 성격에 대해 질문하세요.

키가 커요?

머리가 길어요?

4) 그 사람은 누구예요? 아는 사람은 '정답'이라고 말하고 친구의 이름을 말하세요.

새 어휘 | 손가락/살이 찌다/손을 들다/정답

-는데 / (으)ㄴ데

밖에

1. 다음 문장을 보고 밑줄 친 부분이 맞으면 ○, 틀리면 ×에 표시하세요. 틀린 것은 바르게 고쳐 보세요.

우리 반에 중국 사람이 한 명밖에 있어요. ○ ⊗ ⇨ 한 명밖에 없어요.

1) 책이 한 권밖에 안 남았어요. ○ × ⇨ .

2) 커피를 조금밖에 마시지 마세요. ○ × ⇨ .

3) 쉬는 시간이 10분밖에 아니에요. ○ × ⇨ .

4) 오늘 빵 하나밖에 못 먹었어요. ○ × ⇨ .

5) 저는 한국 친구가 2명밖에 없어요. ○ × ⇨ .

6) 집에서 학교까지 걸어서 10분밖에 안 걸려요. ○ × ⇨ .

2. 아래 그림은 서로 다른 곳이 12개 있어요. 다른 곳을 찾아 표시하고 이야기해 보세요.

1)

2)

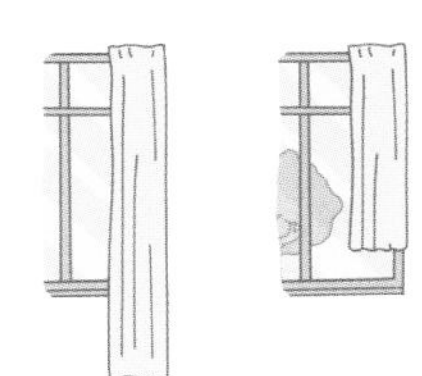

1번 커튼은 긴데 2번은 좀 짧아요.

1번은 벽에 달력이 있는데 2번은 없어요.

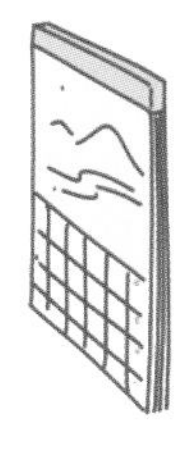

새 어휘 | 커튼/쓰레기통

사진 이야기

1. 수지 씨와 마리 씨가 사진을 보면서 이야기해요. 다음을 잘 듣고 질문에 답하세요.

1) 마리 씨는 이 사진을 어디에서 찾았어요? (   )

2) 들은 내용과 다른 것을 고르세요.

① 마리 씨는 남동생이 있어요.
② 마리 씨의 고모는 머리가 길어요.
③ 마리 씨 뒤에 있는 분은 부모님이에요.
④ 마리 씨의 고모부는 키가 크지 않아요.

2. 한국에 손님이 오는데 공항에 마중하러 갈 수 없어요. 손님이 오늘 찍은 사진을 보내 줬어요. 친한 친구에게 그 사진을 보여 주면서 설명해 주고 마중을 부탁하는 말을 해 보세요.

손님이 한국에 오는데 오늘 급한 일이 생겨서 제가 못 가요. 혹시 공항에 가 줄 수 있어요? 여자 분인데 키가 좀 작고 머리가 짧아요. 흰색 원피스를 입고 까만 구두를 신고 있어요. 선글라스를 쓰고 작은 가방을 들고 있어요. 사진을 핸드폰으로 보내 줄게요. 비행기는 5시에 도착해요. 부탁해요.

1)

2)

3)

새 어휘 | 고모/고모부/마중하다/부탁하다

나의 친한 친구

1. 친한 친구에 대해 묘사하는 글을 쓰려고 해요. 무슨 내용을 쓰면 좋을까요? 아래 내용을 간단하게 메모해 보세요.

처음 만난 시기	
지금 하는 일	
성격	
외모	
좋아하는 것	
특별한 기억	

2. 메모를 보고 친한 친구에 대해 묘사하는 글을 써 보세요.

⊕ **더 알아봐요**

- 7과 '읽고 쓰기'의 글을 다시 읽고 써 보세요.
- 글을 쓰고 선생님께 확인을 받은 후 '다시 쓰기'를 해 보세요. 글의 구조, 어휘나 문법이 틀린 부분을 확인하고 고칠 수 있어요.

인물의 특징

1. 우리 반 친구들은 어떤 사람이에요? 다음과 같이 이야기해 보세요.

성격이 편안한 사람	잘 웃는 사람	재미있는 사람	마음이 넓은 사람
마음이 따뜻한 사람	나와 마음이 잘 맞는 사람	나와 성격이 비슷한 사람	나와 취미가 비슷한 사람
나와 직업이 비슷한 사람	생각이 깊은 사람	말이 잘 통하는 사람	인기가 많은 사람
한국어를 제일 잘하는 사람	인사를 잘하는 사람	....	....

- 마리 씨는 저와 마음이 가장 잘 맞는 사람이에요. 성격도 좀 비슷해요.
- ○○ 씨는 우리 반에서 한국어를 제일 잘하는 사람이에요.
- ○○ 씨는 마음이 따뜻하고 편안한 사람이어서 인기가 많아요.

먼저 한 명이 반 친구 한 명을 선택해서 이야기해요. 그다음에는 선택을 받은 사람이 다른 친구를 선택해서 이야기하세요. 돌아가면서 모두 이야기해 보세요.

2. 다음 어휘에 주의하면서 질문에 대답해 보세요.

빠르다　　부르다　　다르다　　모르다

- 우리 반에서 누가 말이 빨라요?
- 우리 반에서 누가 노래를 잘 불러요?
- 우리 반에서 누가 여러분과 성격이 제일 달라요?
- 우리 반에서 누구를 가장 잘 알아요? 누구를 가장 몰라요?

-기 때문에 | -는데요/(으)ㄴ데요

1. 다음과 같이 틀린 부분을 고르고 그 이유를 이야기해 보세요.

날씨가 좋기 때문에 산책하세요.
①　②

- '산책해요, 산책했어요'로 바꿔요.
- '-기 때문에'는 '-(으)세요'와 같이 쓰지 않아요.

1) 지갑을 잃어버렸기 때문에 새로 살까요?
①　②

2) 저는 의사 때문에 병원에서 일합니다.
①　②

3) 차가 막히기 때문에 전철을 탑시다.
①　②

4) 스트레스이기 때문에 잠을 잘 못 자요.
①　②

5) 밥을 다 먹겠기 때문에 배가 불러요.
①　②

2. 다음과 같이 대화를 완성해 보세요.

가: 이 신발 한번 신어 보세요. 어때요?
나: 정말 편한데요! (편하다/좋다/멋지다/ ?)

1) 가: 저 오늘 머리를 잘랐어요.
나: ______________! (멋있다/예쁘다/잘 어울리다/ ?)

2) 가: 어서 오세요. 여기가 우리 집이에요.
나: ______________! (넓다/깨끗하다/분위기가 좋다/ ?)

3) 가: 여기 여행 오니까 어때요?
나: ______________! (경치가 좋다/구경할 게 많다/ ?)

4) 가: 제가 만든 음식인데 한번 드셔 보세요.
나: ______________! (정말 맛있다/제 입에 정말 잘 맞다/냄새가 너무 좋다/ ?)

• 감탄의 '-는데요/(으)ㄴ데요'를 말할 때는 끝을 올려서 말해야 해요.

친구 소개

1. 친구 결혼식에서 주노 씨가 마리 씨에게 선배를 소개해 주기로 했어요. 다음을 잘 듣고 질문에 답하세요.

01

1) 주노 씨가 마리 씨에게 소개해 주기로 한 사람이 누구예요? 번호를 쓰세요. (　　　)

2) 같으면 ○, 다르면 × 표시를 하세요.

① 선배는 넥타이를 매고 있어요. (　　　)
② 선배는 평소에 옷을 잘 입어요. (　　　)
③ 선배는 생각이 깊은 사람이에요. (　　　)
④ 선배는 주노 씨와 같은 고등학교에 다녔어요. (　　　)

2. 우리 반 친구에게 여러분의 친구를 소개해 줄 거예요. 어떤 사람을 소개해 줄 거예요? 다음과 같이 이야기해 보세요.

> 저는 안나 씨에게 지은 씨를 소개해 줄 거예요. 안나 씨는 활발해서 지은 씨하고 잘 맞을 것 같아요. 그리고 유진 씨는 한국 음식을 좋아하니까 제 요리사 친구를 소개해 주고 싶어요. …

새 어휘 | 데려오다/평소/맞다

버킷 리스트

1. 여러분은 어떤 버킷 리스트(bucket list)가 있어요? 다음 글을 읽고 질문에 답하세요.

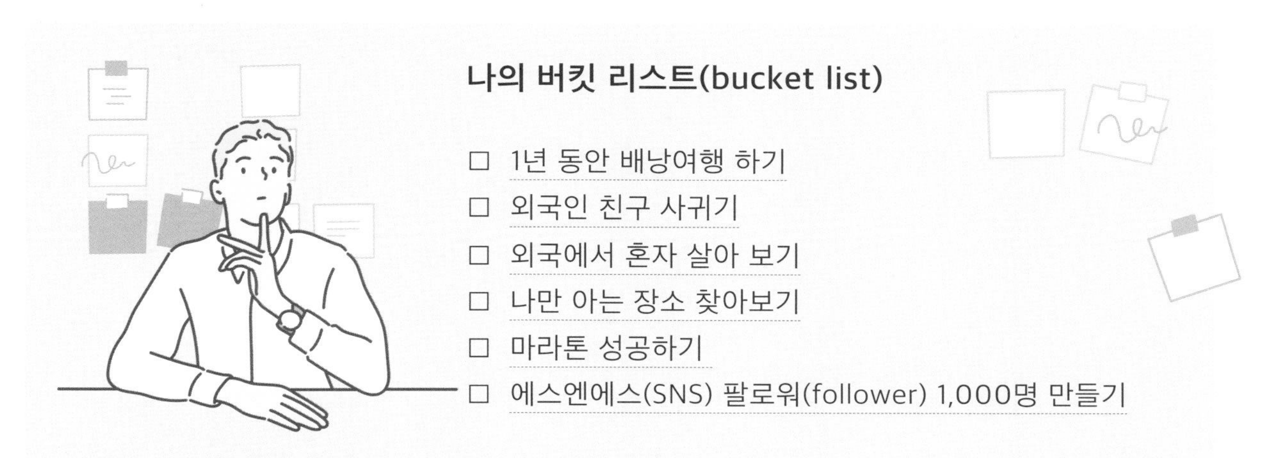

저는 버킷 리스트에 여섯 개를 적었는데 올해는 '외국인 친구 사귀기'를 해 보려고 합니다. 아직 외국 친구가 한 명도 없기 때문입니다. 마라톤은 지금도 계속 연습하고 있습니다. 2년 후에 꼭 나가고 싶은 대회가 있어서 2년 안에 성공하고 싶습니다. 에스엔에스(SNS) 팔로워(follower)는 지금 300명밖에 안 되기 때문에 시간이 많이 필요할 것 같습니다. 저는 에스엔에스(SNS)를 자주 하니까 팔로워(follower)를 많이 만들 수 있을 겁니다.

1) 글을 쓴 사람의 버킷 리스트는 뭐예요? 여러분의 생각과 비슷한 것이 있어요?

2) 버킷 리스트에 쓸 수 있는 내용은 무엇이 있을까요?

√ 그동안 하지 못한 일	√ 배우고 싶은 것	√ 만나고 싶은 사람
√ 체험하고 싶은 특별한 것	√ 가 보고 싶은 곳	√ ________

2. 어떤 일의 이유를 쓸 때 다음과 같은 표현을 쓸 수 있어요. 확인해 보세요.

- 외국 친구가 한 명도 없기 때문입니다.
- 2년 후에 꼭 나가고 싶은 대회가 있어서 2년 안에 성공하고 싶습니다.
- 에스엔에스(SNS) 팔로워(follower)는 지금 300명밖에 안 되기 때문에 시간이 많이 걸릴 것 같습니다.
- 저는 에스엔에스(SNS)를 자주 하니까 팔로워를 많이 만들 수 있을 겁니다.

새 어휘 | 배낭여행/마라톤/팔로워/적다/올해

특별한 경험

1. 다음 말과 가장 잘 어울리는 어휘를 연결해 보세요.

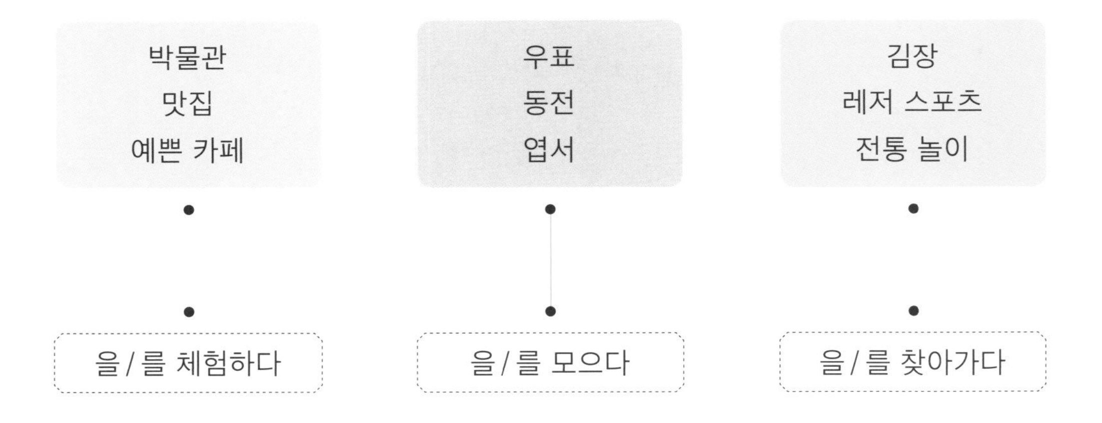

2. 다음 에스엔에스(SNS)를 보고 친구에게 댓글로 특별한 일을 추천해 보세요.

1)

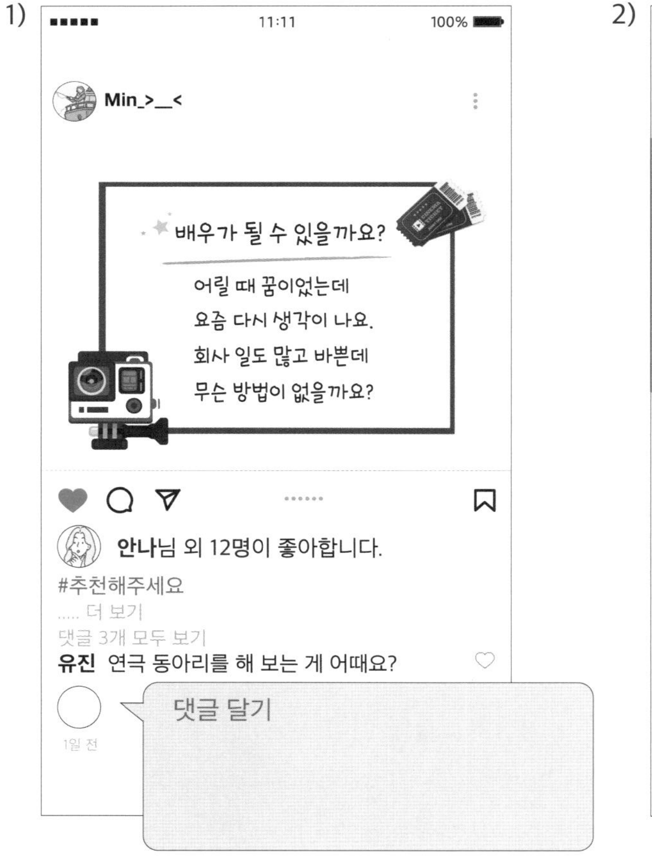

2)

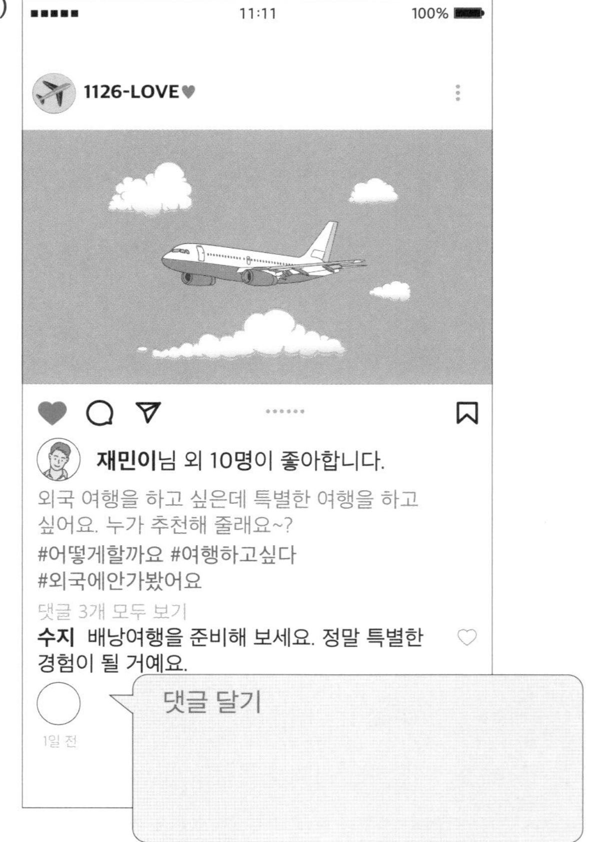

새 어휘 | 우표/엽서/김장/레저 스포츠/놀이

-는/(으)ㄴ 편이다 | -게

1. 여러분 나라는 어떤 편이에요? 다음과 같이 이야기해 보세요.

자연환경(산, 바다, 사막, 섬…)

우리 나라는 사막이 없어요.

우리 나라는 산이 많은 편이에요.

우리 나라는 섬이 적은 편이에요.

1) 날씨(덥다, 춥다, 눈이 많이 오다, 비가 자주 오다, 바람이 많이 불다 …)
2) 음식(맵다, 짜다, 고기가 많이 들어가다, 기름을 많이 사용하다 …)
3) 여행(박물관 / 미술관이 많다, 경치가 좋다, 쇼핑하기 좋다 …)
4) 물건 가격(옷 / 책 / 가구 / 음식 …이 / 가 비싸다 / 싸다)

2. 다음에서 알맞은 것을 골라 문장을 완성해 보세요.

☐ 주다 ☐ 자다 ☐ 먹다 ☐ 듣다 ☐ 회의하다 ☐ 공부하다 ☐ 이해하다 ☐ 이야기하다

아이에게 주게 이 음식을 따뜻하게 해 주세요.

1) 캠핑 가서 __________ 김밥을 좀 만들까요?
2) 내일 오전에 __________ 미리 자료를 준비해 주세요.
3) 저 오늘 좀 빨리 __________ 방에 불 좀 꺼도 될까요?
4) 파티에서 __________ 좋은 노래를 골라 줄 수 있어요?
5) 안나 씨, 제가 직접 __________ 주노 씨 좀 바꿔 주세요.
6) 저 내일 시험이 있는데 __________ 텔레비전 소리를 좀 줄여 줄 수 있어요?
7) 한국 사람들이 __________ 한국어 안내문을 만들었어요.

⊕ **더 알아봐요** '-게'는 다음과 같이 형용사하고도 같이 쓸 수 있어요. 앞에서 나온 표현을 다시 확인해 보세요.

- 점심 맛있게 드세요
- 오늘 늦게 일어났어요.
- 시끄럽게 통화하지 마세요.
- 친구와 재미있게 이야기해요.
- 저는 요즘 건강하게 생활해요.
- 친구를 만날 때 무엇을 중요하게 생각해요?

새 어휘 | 자연환경 / 사막 / 섬 / 기름 / 캠핑 / 줄이다

처음과 다른 꿈

1. 두 사람이 최근에 생긴 좋은 일에 대해서 이야기해요. 다음을 잘 듣고 질문에 답하세요.

01

1) 들은 내용과 같은 것을 고르세요.

① 남자는 방송국을 체험한 적이 없어요.
② 남자는 1년 전부터 취직 준비를 시작했어요.
③ 남자는 대학 졸업 때 회사에 들어가려고 했어요.
④ 남자는 방송국에 취직하고 싶어서 준비하고 있어요.

2) 다시 듣고 빈칸에 알맞은 말을 써 보세요.

- 남자: 저 ______ 방송국에 ______. 네. 진짜 ______.
  그런데 ______ 너무 좋아요.
- 여자: 방송국 ______ 세종 씨의 꿈을 ______.

2. 어떤 특별한 경험 때문에 중요한 일이나 계획이 바뀐 적이 있어요? 다음과 같이 이야기해 보세요.

	처음의 계획이나 생각	특별한 경험	바뀐 계획이나 생각
1)	회사에 취직	방송국 체험	방송국에 취직
2)	호텔에서 결혼	친구 결혼식에 참석	집에서 결혼
3)	해외여행	국내 여행 상품권 선물	국내 여행
4)			

저는 전에 회사에 취직하고 싶었어요. 그런데 얼마 전에 방송국 체험을 했어요. 그 후 저는 꿈이 바뀌었어요. 지금은 방송국에 취직하고 싶어요.

새 어휘 | 꿈/온라인

나의 버킷 리스트

1. 여러분은 뭘 꼭 해 보고 싶어요? 버킷 리스트(bucket list)를 만들어 보세요.

나의 버킷 리스트

- ☐
- ☐
- ☐
- ☐
- ☐
- ☐

2. 여러분의 버킷 리스트를 설명하는 글을 써 보세요.

⊕ **더 알아봐요**

- 9과 '읽고 쓰기'의 글을 다시 읽고 써 보세요.
- 여러 가지 이유 표현을 써 보세요.

3. 글을 쓴 후에 여러분의 버킷 리스트에 대해 발표해 보세요.

변화

1. 한국어를 배우기 전과 배운 후 여러분의 모습에 대해 쓰고 이야기해 보세요.

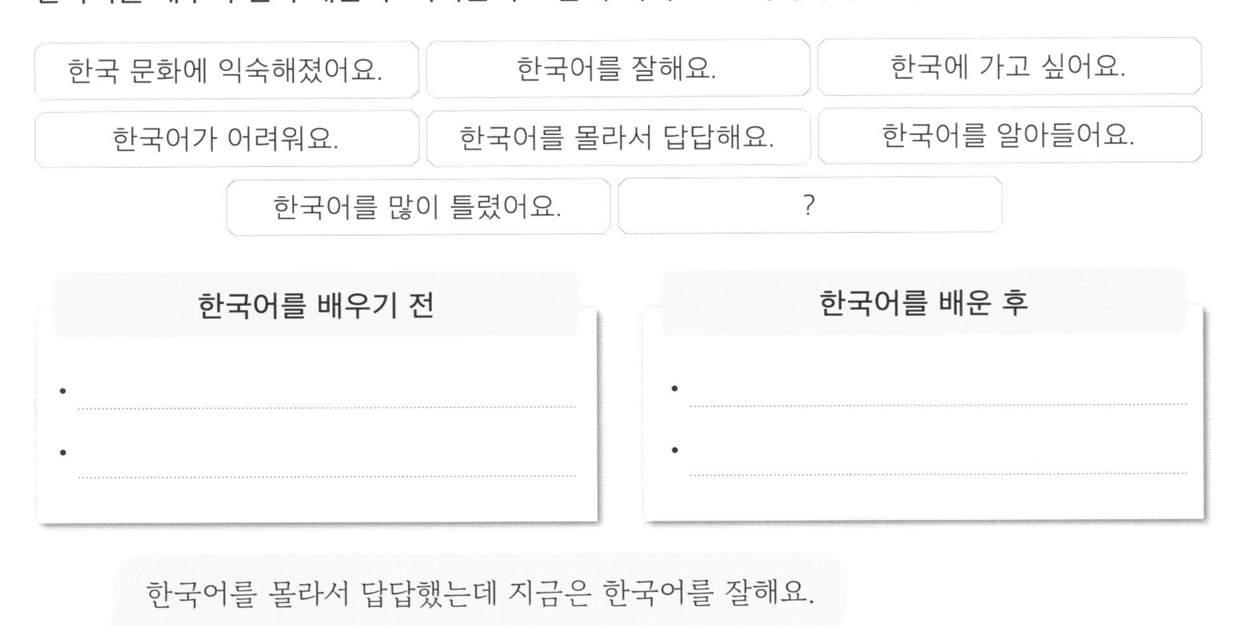

한국어를 몰라서 답답했는데 지금은 한국어를 잘해요.

2. 여러분은 지금까지 살면서 어떤 변화가 있었어요? 인생 그래프를 그리고 이야기해 보세요.

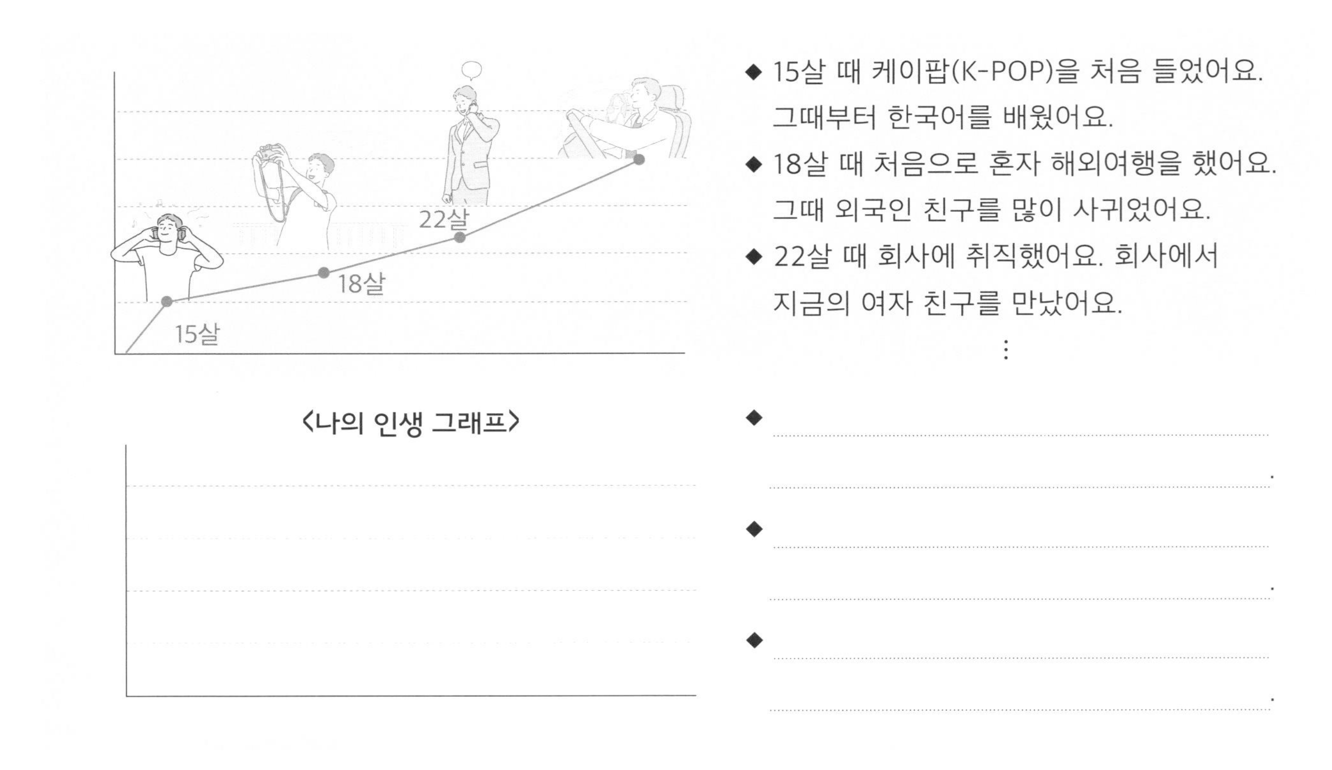

◆ 15살 때 케이팝(K-POP)을 처음 들었어요. 그때부터 한국어를 배웠어요.
◆ 18살 때 처음으로 혼자 해외여행을 했어요. 그때 외국인 친구를 많이 사귀었어요.
◆ 22살 때 회사에 취직했어요. 회사에서 지금의 여자 친구를 만났어요.

⋮

〈나의 인생 그래프〉

◆ ....
◆ ....
◆ ....

새 어휘 | 외국인

-아/어 | 에는, 에서는

1. 기본 교재에서 나온 '활동 1' 대화 중 하나를 골라 반말로 바꾸어 보세요.

→ 5과

수지 : 와, 사람이 아주 많네요!
유진 : 그렇죠? 여기 안내 자료 받으세요.
수지 : 고마워요. 저는 춤 공연을 처음 보는데 뭘 조심해야 돼요?
유진 : 다른 공연하고 비슷해요. 시작 전에 미리 들어가야 돼요. 그리고 공연 중에 박수를 치지 말고 핸드폰을 사용하지 마세요.
수지 : 네. 알겠어요. 공연이 재미있었으면 좋겠어요.

→ 반말로 바꾸어 보세요.

수지 : 와, 사람이 아주 ______!
유진 : 그렇지? 여기 안내 자료 ______.
수지 : ______. ______ 춤 공연을 처음 보는데 뭘 ______?
유진 : 다른 공연하고 ______. 시작 전에 미리 들어가야 ______. 그리고 공연 중에 박수를 치지 말고 핸드폰을 ______.
수지 : ______. ______. 공연이 재미있었으면 ______.

→ 〈　　과〉

→ 반말로 바꾸어 보세요.

2. 다음 조사 중에서 두 개를 골라 반말로 문장을 만들어 보세요.

• 에게 • 에서 • 에 • 만 • 께서	+	• 만 • 도 • 을/를 • 은/는

너만을 사랑해.

나의 변화

1. 요즘 나에게 무슨 일이 있었는지 이야기하고 있어요. 다음을 잘 듣고 알맞은 것을 연결해 보세요. 

1) • 2) • 3) • 4) •

• • • •

2. 요즘 여러분은 무슨 일이 있었어요? 다음과 같은 기분을 느낀 적이 있어요? 친구와 이야기해 보세요.

• 답답하다 • 부끄럽다 • 기분이 좋다 • 행복하다

질문	나	친구
답답할 때가 있었어요?		
그때 어떻게 했어요?		

5년 후의 나에게

1. 안나가 5년 후의 자신에게 편지를 썼어요. 뭐라고 썼을까요? 다음 글을 읽고 질문에 답하세요.

편지	구성
스물일곱 살의 안나에게	보내는 사람
그동안 잘 지냈어? 5년 동안 어떻게 지냈는지 궁금해. 혼자 여러 나라에 여행 가고 싶어 했는데 잘 다녀왔지? 한국어를 잘하고 싶어 했는데 어떻게 됐을까? 그리고 아주 궁금한 것이 있는데 멋진 사람은 만났어? 5년 후의 안나는 어떻게 살고 있는지 궁금해서 편지를 쓰고 있어. 편지를 쓰니까 5년 후의 네가 보고 싶어. 너는 오늘도 웃으면서 잘 살고 있을 거야. 그렇지?	안부 인사와 편지를 쓴 목적
늘 너를 사랑해. 다음에 또 쓸게.	마무리 인사
2022년 11월의 가을에, - 스물두 살의 안나가.	언제, 보내는 사람

1) 같으면 ○, 다르면 × 표시를 하세요.

① 안나는 혼자 여러 나라에 여행 가고 싶어 했어요. (　　)

② 22살의 안나는 멋진 한국 사람을 만났어요. (　　)

2) 다음 질문에 대답해 보세요.

① 이 글을 누가 썼어요?

② 이 글을 누가 읽어요?

③ 이 편지는 왜 쓰고 있는 것 같아요?

2. 편지는 어떻게 쓰면 좋을까요? 확인해 보세요.

√ 편지의 처음에는 편지를 받을 사람 이름과 '에게'를 써요.
√ 편지를 시작할 때 안부 인사를 해요. '잘 지내요?', '날씨는 어때요?' 등의 이야기를 써요.
√ 그 다음에 편지를 쓴 목적을 써요. 하고 싶은 이야기를 잘 써야 해요.
√ 마무리 인사를 하고 날짜, 보내는 사람의 이름을 써요. 보내는 사람 이름 뒤에는 '이 / 가'를 써요.

새 어휘 | 안부 인사/목적/마무리 인사

희망 사항

1. 앞으로 더 잘하고 싶은 것이 있어요? 다음과 같이 3가지를 쓰고 친구와 이야기해 보세요.

- 자막 없이 한국 드라마를 보고 싶어요.
- 한국 요리를 맛있게 만들고 싶어요.
- 사진을 잘 찍어서 나만의 '전시회'를 열고 싶어요.

- ....
- ....
- ....

2. 나와 잘하고 싶은 것이 같은 친구를 찾아보세요. 어떻게 하면 그것을 잘할 수 있을지 계획을 세워 보세요.

잘하고 싶은 것: 자막 없이 한국 드라마를 보고 싶어요.
→ ①부터 ③까지 하면 자막 없이 한국 드라마를 볼 수 있을 거예요.

① 세종학당에서 4급까지 열심히 한국어를 배워요.
② 한국어를 배우면서 한국 드라마, 한국 영화를 일주일에 2편 이상 봐요.
③ 내가 본 드라마 중에서 재미있는 드라마나 영화를 골라서 20번 이상 봐요.

잘하고 싶은 것: ....
→ ①부터 .... 까지 하면 ....
① ....
② ....
③ ....

새 어휘 | 자막 / 편

처럼 | -게 되다

1. 우리 반 친구들의 특징을 쓰고 이야기해 보세요.

1)
친구 이름: 안나
친구의 특징: 노래를 잘해요.
비슷한 사람이나 물건: 가수

안나는 가수처럼 노래를 잘해요.

2)
친구 이름:
친구의 특징:
비슷한 사람이나 물건:

3)
친구 이름:
친구의 특징:
비슷한 사람이나 물건:

4)
친구 이름:
친구의 특징:
비슷한 사람이나 물건:

2. 여러분은 어떤 운동이나 악기, 언어를 배워서 잘하게 된 것이 있어요? 다음과 같이 쓰고 이야기해 보세요.

운동: 수영, 축구, 탁구, 스키, ...
악기: 피아노, 기타, 바이올린, 첼로, ...
언어: 한국어, 중국어, 영어, 스페인어, ...

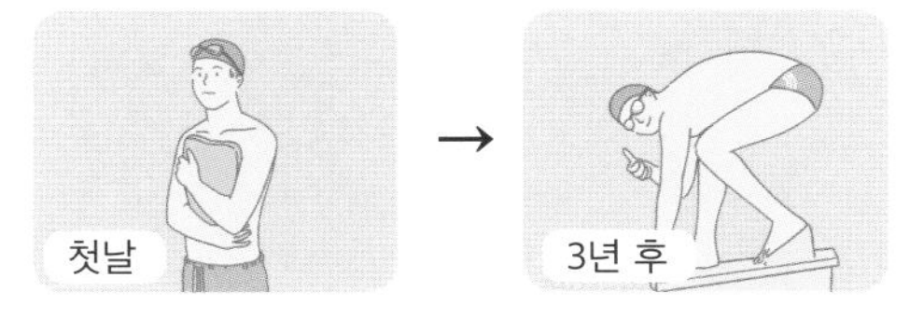

저는 수영을 못 했는데 3년 전부터 배웠어요.
그래서 지금은 잘하게 되었어요.

새 어휘 | 탁구/바이올린/첼로/첫날

앞으로의 계획

1. 안나 씨와 마리 씨가 앞으로 더 잘하고 싶은 것에 대해 이야기해요. 다음을 잘 듣고 알맞은 것을 연결해 보세요.

01

마리 •

안나 •

- 시간 관리 잘하기
- 테니스 더 잘 치기
- 한국어 더 잘하기
- 플루트 연주하기
- 자신 있는 요리 두 가지 이상 만들기
- 내가 가진 것을 나누어 주기

2. 여러분은 어떤 것에 관심이 있어요?

1) 관심 있는 주제를 하나 골라 보세요.

스포츠(운동 경기 보기, 운동하기, 운동 배우기)	음악(악기 연주하기, 음악 듣기, 노래하기)	음식(맛있는 음식 먹기, 맛있는 음식 만들기, 맛집에 가서 사진 찍기)
여행(유적지 여행하기, 쇼핑하기, 맛집 찾아가기)	책(다양한 책 읽기, 좋아하는 책 여러 번 읽기, 책 읽고 이야기 쓰기)	

2) 그 주제와 관련 있는 질문을 만들어 보세요.

주제: 스포츠
① 운동 경기 보는 것을 좋아해요? ② 운동하는 것을 좋아해요? ③ 운동 배우는 것을 좋아해요?

주제:
① ? ② ? ③ ?

3) 우리 반 친구들에게 물어보고 몇 명이 답했는지 써 보세요.

운동 경기 보기	운동하기	운동 배우기
7명	4명	5명

명	명	명

새 어휘 | 관리/플루트/나누다/유적지/다양하다

5년 후의 나에게

1. '5년 후의 나에게 편지'를 써 보세요.

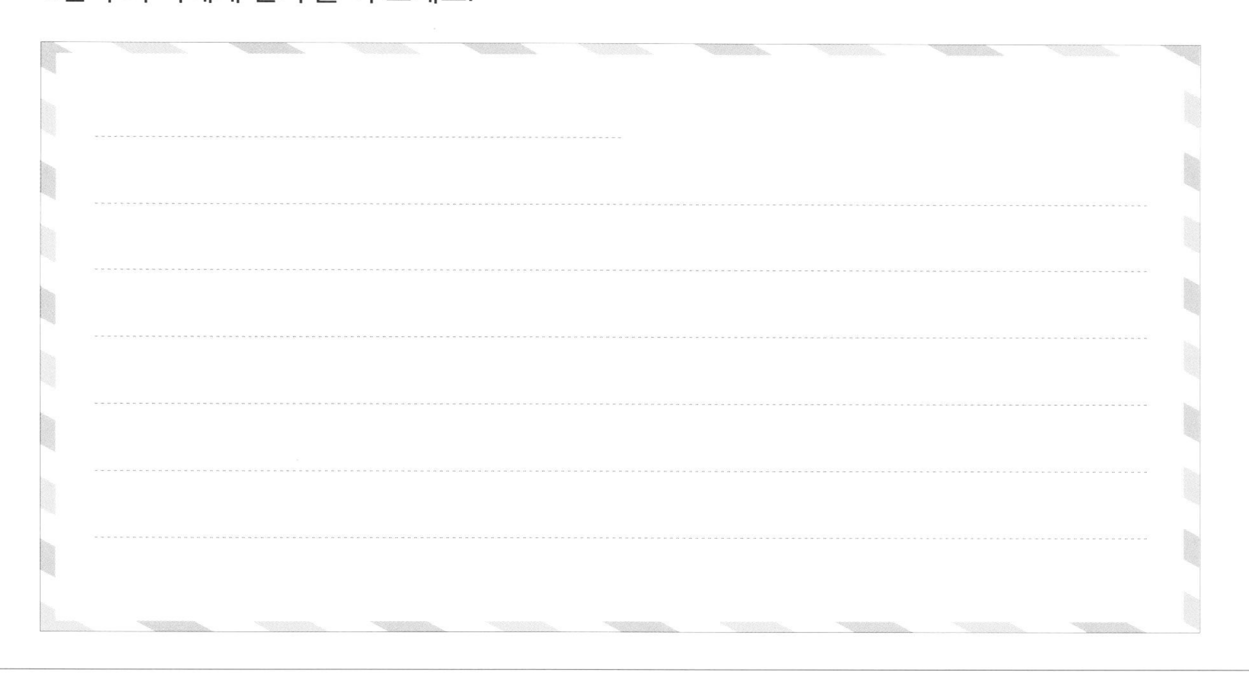

2. 위의 글을 친구에게 보여 주세요. 여러분도 친구의 편지를 읽고 응원하는 글을 써 보세요.

스물일곱 살의 안나에게

그동안 잘 지냈어?
5년 동안 어떻게 지냈는지 궁금해.
혼자 여러 나라에 여행 가고 싶어 했는데 잘 다녀왔지?
한국어를 잘하고 싶어 했는데 어떻게 됐을까?
그리고 아주 궁금한 것이 있는데 멋진 사람은 만났어?
5년 후의 안나는 어떻게 살고 있는지 궁금해서 편지를 쓰고 있어.
편지를 쓰니까 5년 후의 네가 보고 싶어.
너는 오늘도 웃으면서 잘 살고 있을 거야. 그렇지?
늘 너를 사랑해.
다음에 또 쓸게.

2022년 11월의 가을에,
- 스물두 살의 안나가.

스물일곱 살의 안나도 지금처럼 밝고 예쁠 거야. 스물일곱 살의 안나도 만나고 싶어. 우리 꼭 만나자.

부록

듣기 지문

2B

01 이번 주 금요일에 동아리 모임 할래요?

듣고 말하기 | 1번 | 8쪽

수지 씨와 주노 씨가 동아리 모임에 대해 이야기해요. 다음을 잘 듣고 질문에 답하세요.

수지: 주노 씨, 이번 달 우리 요리 동아리 모임은 어떻게 할까요?
주노: 음. 우리 이번 달에는 세계 요리 파티 할래요? 다른 나라의 요리를 만들어서 가져오는 거예요. 그 나라 이야기도 해 보면 어때요?
수지: 와, 재미있을 것 같아요. 그럼 많은 친구들이 올 수 있는 주말에 모일까요?
주노: 좋은 생각이에요. 그럼 27일 토요일 어때요?
수지: 좋아요! 친구들에게 제가 연락할게요.
주노: 그럼 장소는 제가 좀 알아볼게요.

02 세종학당에서부터 걸어서 10분쯤 걸려요

듣고 말하기 | 1번 | 12쪽

수지 씨와 주노 씨가 사진을 보면서 여러 나라 교통수단을 이야기해요. 다음을 잘 듣고 질문에 답하세요.

수지: 어, 주노 씨, 이게 뭐예요?
주노: 뚝뚝이에요. 바퀴가 세 개 있는 태국의 택시예요. 호텔에서부터 이걸 타고 방콕을 구경했는데 시원하고 좋았어요.
수지: 와, 처음 봤어요. 사람들이 이걸 많이 타요?
주노: 네. 많이 타요. 그런데 저도 태국에서 처음 타 봤어요. 수지 씨도 다른 나라에서 처음 타 본 것이 있어요?
수지: 네. 저는 오스트리아에서 트램을 처음 타 봤는데 재미있었어요.
주노: 트램은 어떤 거예요?
수지: 지하철과 비슷한데 도로 위를 천천히 가요. 그래서 밖의 경치도 잘 볼 수 있어요.

03 할머니께서 직접 만드신 목걸이예요

듣고 말하기 | 1번 | 16쪽

한국에 여행을 간 안나 씨가 가게에서 점원과 이야기해요. 다음을 잘 듣고 질문에 답하세요.

점원(남자): 어서 오세요. 뭘 도와드릴까요?
안나: 부모님께 드릴 기념품을 사려고 하는데요. 뭐가 좋을까요?
점원(남자): 홍삼이 인기가 많아요. 건강에 좋고 어른들이 아주 좋아하세요.
안나: 아, 홍삼 들어 봤어요. 그거 하나 주세요. 그리고 친구들에게도 선물을 하고 싶은데 뭐가 좋을까요?
점원(남자): 음. 화장품이나 한복을 입은 인형은 어떠세요? 외국 손님들이 많이 사세요.
안나: 화장품이 좋을 것 같아요.
점원(남자): 네. 그럼 이쪽에서 마음에 드시는 것을 골라 보세요.

04 세종학당에 오다가 중학교 때 친구를 만났어요

듣고 말하기 | 1번 | 20쪽

다른 사람이 하기 어려운 특별한 경험을 한 적이 있어요? 다음을 잘 듣고 질문에 답하세요.

여자: 어? 배우 김민수 씨 아니세요?
남자: 네. 안녕하세요?
여자: 와, 정말 반갑습니다. 민수 씨 팬이에요.
남자: 반갑습니다. 한국말을 정말 잘하세요.
여자: 감사합니다. 한국어를 조금 배웠어요. 저 지난번에 민수 씨 팬클럽 모임에 갔어요. 그때 사진도 찍고 인사도 했어요.
남자: 네. 정말 감사해요. 비행기 안에서 팬을 만나니까 저도 신나요.
여자: 민수 씨, 제 비행기표 뒷면에 사인해 줄 수 있어요?
남자: 네. 그럼요. 표 주세요. 사인해 드릴게요.
여자: 감사합니다.

05 공연 중에 핸드폰을 사용하지 마세요

듣고 말하기 | 1번 | 24쪽

공연장에서 안내 방송을 들어 본 적이 있어요? 다음을 잘 듣고 질문에 답하세요.

안내 방송(여자): 안녕하십니까? 저희 피아노 연주회를 찾아 주셔서 감사합니다. 모두가 즐거운 공연을 보기 위해 다음을 잘 지켜 주십시오. 음식과 음료는 공연장 안으로 가지고 들어가지 마십시오. 그리고 공연장이 어둡습니다. 공연장 안에서 뛰어다니지 마십시오. 공연 중에는 핸드폰을 사용할 수 없습니다. 연주하는 중에는 박수를 치거나 큰 소리를 내지 마십시오. 잠시 후 공연이 시작됩니다. 좋은 시간 보내십시오. 감사합니다.

06 여기에서 노트북을 사용해도 돼요?

듣고 말하기 | 1번 | 28쪽

재민 씨와 안나 씨가 오늘 약속이 있어서 만나요. 다음을 잘 듣고 질문에 답하세요.

재민: 여보세요? 안나 씨, 곧 뮤지컬 시작해서 들어가야 하는데 어디예요?
안나: 지금 카페에 있어요. 커피를 사려고 해요.
재민: 커피요? 사지 마세요. 음식을 가지고 들어가면 안 돼요.
안나: 아, 그래요? 그 생각을 못 했네요. 저 급한 전화 좀 하고 빨리 들어갈게요. 재민 씨 먼저 들어가세요.
재민: 알겠어요. 늦으면 안 돼요.
안나: 네. 빨리 갈게요.
재민: 이따 봐요.

07 마리 씨한테서 그 친구 이야기를 들었어요

듣고 말하기 | 1번 | 32쪽

재민 씨가 회사의 같은 팀에서 일하는 동료와 이야기해요. 다음을 잘 듣고 질문에 답하세요.

동료(여자): 재민 씨, 저 다음 달부터 교육팀에서 일해요.
재민: 네. 과장님께 소식 들었어요.
동료(여자): 친구한테서 들으니까 교육팀은 일이 더 많은 것 같아서 걱정이에요.
재민: 저도 교육팀에서 일하기 전에 걱정을 많이 했는데 일해 보니까 괜찮았어요. 그리고 부지런하고 친절한 사람들이 많아서 잘 지낼 수 있을 거예요. 너무 걱정하지 마세요.
동료(여자): 네. 그동안 여러 가지 많이 도와주셔서 감사해요.

08 어렸을 때는 머리가 길었는데 지금은 짧은 머리가 편해요

듣고 말하기 | 1번 | 36쪽

수지 씨와 마리 씨가 사진을 보면서 이야기해요. 다음을 잘 듣고 질문에 답하세요.

수지: 마리 씨는 어릴 때 사진 없어요?
마리: 음. 핸드폰에 있는 사진은 이것밖에 없어요.
수지: 와, 눈이 정말 크고 귀엽네요. 가족들과 같이 찍은 사진이에요?
마리: 네. 크리스마스 때 찍었어요. 제 옆에 있는 사람은 남동생이에요. 제 뒤에는 부모님이고요.
수지: 근데 여기 머리가 긴 사람은 누구예요?
마리: 우리 고모예요. 그 옆에 키가 큰 분은 고모부예요.
수지: 네. 모두 행복한 얼굴이네요.

09 저도 그런 사람을 만나고 싶은데요!

듣고 말하기 | 1번 | 40쪽

친구 결혼식에서 주노 씨가 마리 씨에게 선배를 소개해 주기로 했어요. 다음을 잘 듣고 질문에 답하세요.

마리: 결혼식에 사람이 많이 왔네요.
주노: 맞아요. 아, 제가 마리 씨에게 소개해 주기로 한 회사 선배가 저기 있어요.
마리: 저기 파란색 넥타이를 맨 사람이요?
주노: 아니요. 그 사람은 제 고등학교 친구예요. 그 사람 옆에 있는 사람이요.
마리: 회색 재킷에 안경을 쓴 사람이요?
주노: 네. 옷을 멋있게 입었지요? 선배는 회사에 올 때도 스타일이 좋아요.
마리: 멋있네요. 어떤 사람이에요?
주노: 일도 잘하고 생각이 아주 깊어요. 마리 씨와 좋은 친구가 될 거예요. 잠깐만요. 선배 데려올게요.

10 산악자전거는 조금 위험한 편이에요

듣고 말하기 | 1번 | 44쪽

두 사람이 최근에 생긴 좋은 일에 대해서 이야기해요. 다음을 잘 듣고 질문에 답하세요.

남자: 저 드디어 방송국에 취직했어요.
여자: 축하해요. 방송국 들어가는 게 많이 어려운 편이죠?
남자: 네. 진짜 쉽지 않았어요. 그런데 이렇게 취직돼서 너무 좋아요.
여자: 저도 정말 기뻐요. 그런데 왜 방송국에 들어가고 싶었어요? 대학 졸업 때는 회사에 들어가려고 준비하지 않았어요?

남자: 맞아요. 그런데 몇 년 전에 방송국 체험을 했는데요. 그때부터 방송국 일에 관심이 생겼어요.
여자: 정말 멋있어요. 방송국 체험이 세종 씨의 꿈을 바꿨네요.

11 처음에는 모르는 게 많아서 답답했어

듣고 말하기 | 1번 | 48쪽

요즘 나에게 무슨 일이 있었는지 이야기하고 있어요. 다음을 잘 듣고 알맞은 것을 연결해 보세요.

1) 여자: 한국 드라마를 보면서 한국어를 공부해. 한국어를 조금 알아들어. 그래서 기분이 좋아.
2) 남자: 친구 추천으로 《사람과 동물》이라는 책을 읽었어. 이 책을 읽고 이제는 고기를 안 먹으려고 해.
3) 여자: 어제 길에서 세종학당 선생님을 오랜만에 만났는데 너무 반가워서 "잘 지냈어?"라고 말했어. 실수해서 부끄러웠어.
4) 남자: 온라인으로 한국 친구와 매일 만나서 이야기해. 얼굴을 보면서 이야기하니까 답답하지 않아서 좋아.

12 난 너처럼 카페를 하고 싶어

듣고 말하기 | 1번 | 52쪽

안나 씨와 마리 씨가 앞으로 더 잘하고 싶은 것에 대해 이야기해요. 다음을 잘 듣고 알맞은 것을 연결해 보세요.

안나: 마리, 오늘 수업 시간에 친구들 이야기 들었지? 넌 앞으로 더 잘하고 싶은 게 뭐야?
마리: 응. 난 테니스를 잘 치고 싶고, 플루트도 연주하고 싶어. 그리고 자신 있게 할 수 있는 요리가 두 가지 이상 있으면 좋겠어.
안나: 와, 멋지다.
마리: 넌? 안나 넌 더 잘하고 싶은 거 있어?
안나: 음. 지금보다 한국어를 더 잘하게 되면 좋겠어. 그리고 시간 관리를 잘하고, 내가 가진 것을 나눠 줄 수 있는 사람이 되었으면 좋겠어.
마리: 우리 지금 생각처럼 꼭 그렇게 됐으면 좋겠다.

01 이번 주 금요일에 동아리 모임 할래요?

어휘와 표현 | 1번 | 6쪽

[예시]

	이름	이유
□ 장소를 알아보다	마리	마리 씨는 모임이나 파티를 많이 해서 좋은 장소를 많이 알아요.
□ 인기 있는 음악을 찾아보다	주노	주노 씨는 음악 듣는 것을 좋아해요. 인기 있는 음악을 많이 알 거예요.
□ 간식을 준비하다	재민	재민 씨는 요리를 잘해요. 그래서 간식을 준비할 수 있어요.
□ 게임을 준비하다	마이	마이 씨는 친구와 자주 게임을 해요. 그래서 재미있는 게임을 많이 알아요.
□ 음식을 주문하다	안나	안나 씨는 음식 주문을 자주 해서 좋은 식당을 잘 알아요.
□ 친구들에게 연락하다	지민	지민 씨는 우리 반 친구들의 전화번호를 알아요. 그래서 친구들에게 연락할 수 있을 거예요.
□ 식당을 예약하다	마이클	마이클 씨는 맛집을 많이 알아요.

어휘와 표현	2번	6쪽

[예시]

1) 프로그램
   - 드라마: 유진, 나나
   - 뉴스: 스티븐
   - 음악 프로그램: 나
   - 예능: 재민

   유진 씨하고 나나 씨는 드라마를 좋아해요. 취향이 같아요.
3) 음식
   - 매운 음식: 나, 안나
   - 단 음식: 재민, 마리
   - 짠 음식: 지은
   - 싱거운 음식: 스티븐

   안나 씨는 매운 음식을 좋아해요. 저도 매운 음식을 좋아해요. 우리는 취향이 같아요. 재민 씨와 마리 씨는 단 음식을 좋아해요. 재민 씨와 마리 씨도 취향이 같아요.

문법	1번	7쪽

[예시]

1) 내일 도서관에서 같이 시험공부를 할래요?/
   날씨가 좋은데 산책할까요?
2) 날씨가 좋은데 산책할까요?

듣고 말하기	1번	8쪽

1) 요리 동아리
2)

- 이번 달 모임: 세계 요리 파티
- 모임 날짜: 27일 토요일
- 모임 내용: 다른 나라의 요리를 만들어서 가져와요. 그 나라 이야기도 해요.

3) ① ×
   ② ×
   ③ ○

듣고 말하기	2번	8쪽

[예시]

1) 저는 여행 동아리를 좋아해요. 친구들이 모이면 같이 여행을 다녀요.
2) 저는 영화 동아리에 가입하고 싶어요.

읽고 쓰기	1번	9쪽

1) 요리 동아리 모임을 안내해요.
2) 이 모임은 11월 27일 토요일 오후 1시에 세종 카페에서 해요.
3) 친구들을 동아리 모임에 초대하고 싶어서 썼어요.
4) 요리 동아리에 가입하고 싶은 사람이 읽을 거예요./요리 동아리에 관심이 있는 사람은 모두 읽을 수 있어요.

02  세종학당에서부터 걸어서 10분쯤 걸려요

어휘와 표현	1번	10쪽

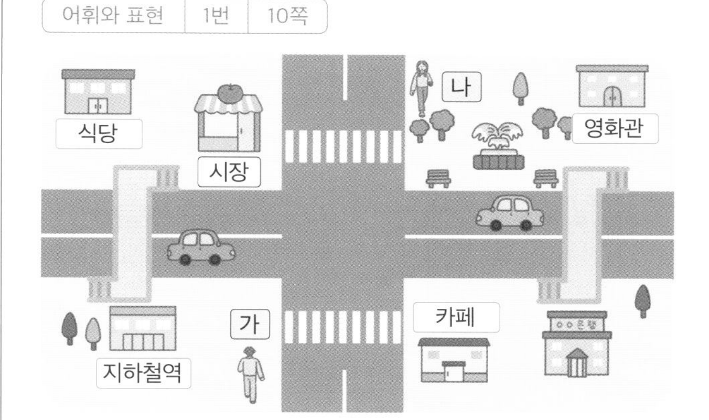

가	
카페	지하철역
① 먼저 앞으로 쭉 가세요. ② 그럼 공원이 나와요. ③ 공원 앞에서 육교를 건너세요. ④ 그럼 은행이 나와요. ⑤ 은행 오른쪽으로 돌아가세요. ⑥ 앞으로 쭉 가면 카페가 나와요.	① 먼저 앞으로 쭉 가세요. ② 그럼 사거리가 나와요. ③ 사거리에서 횡단보도를 건너세요. ④ 그럼 시장이 있어요. ⑤ 시장 앞의 육교를 건너세요. ⑥ 그럼 지하철역이 나와요.

나	
식당	영화관
① 먼저 앞으로 쭉 가세요. ② 그럼 사거리가 나와요. ③ 사거리에서 육교를 건너세요. ④ 그럼 시장이 있어요. ⑤ 시장 왼쪽으로 돌아가세요 . ⑥ 앞으로 가면 식당이 나와요.	① 먼저 앞으로 쭉 가세요 . ② 그리고 사거리에서 오른쪽 횡단보도를 건너세요. ③ 횡단보도를 건너서 걸어가면 은행이 나와요. ④ 은행 앞에서 육교를 건너세요. ⑤ 육교를 건너면 공원이 나와요. ⑥ 공원을 지나서 쭉 걸어가면 영화관이 있어요.

어휘와 표현	2번	10쪽

[예시]

좋아하는 곳	세종공원
뭘 타고 가요?	자전거를 타고 가요.
시간이 얼마나 걸려요?	10분쯤 걸려요.

어떻게 가요?	세종학당 오른쪽으로 쭉 가면 세종공원이 있어요.

제가 좋아하는 곳은 세종공원이에요. 세종학당에서 자전거를 타고 가요. 10분쯤 걸려요. 세종학당 오른쪽으로 쭉 가면 세종공원이 있어요.

문법	1번	11쪽

[예시]

회사까지 뛰어오다

이상한 냄새가 나다

친구를 만나서 같이 오다

친구를 만나서 같이 먹다

공항에서부터 택시를 타고 왔어요.

문법	2번	11쪽

[예시]

가: 주말에 갈 곳이 어디예요?

나: 주말에 갈 곳은 하나식당이에요.

듣고 말하기	1번	12쪽

1)

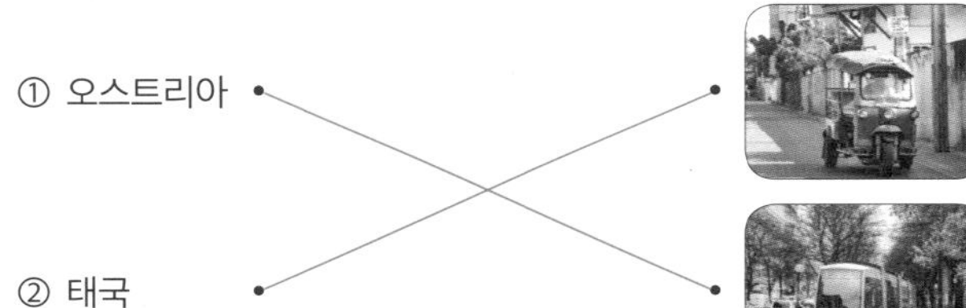

2)

① ○

② ×

③ ○

듣고 말하기	2번	12쪽

[예시]

1) 우리 나라 사람들이 많이 이용하는 교통수단은 버스예요.

2) 베트남에서 오토바이를 타 봤어요. 우리 나라에서는 오토바이를 많이 안 타는데 베트남에서는 많이 타요. 빠르고 재미있었어요.

3) 지하철이 있으면 좋겠어요.

읽고 쓰기	1번	13쪽

[예시]

제목을 어떻게 쓸 거예요?	우리 같이 한국 음악을 들을래요?
누구를 초대하고 싶어요?	한국 음악을 좋아하는 사람을 초대하고 싶어요.
모임에서 무엇을 할 거예요?	한국 음악을 들으면서 한국어를 공부할 거예요.
언제, 어디에서 모임을 해요?	1일 수요일 오후 3시, 세종학당 앞 하나 카페
모임 장소까지 어떻게 와요?	세종학당에서부터 걸어서 10분쯤 걸려요. 세종학당 정문에서 횡단보도를 건너면 식당이 있어요. 그 식당에서 왼쪽으로 걸어오면 하나 카페가 있어요.

읽고 쓰기	2번	13쪽

[예시]

우리 같이 한국 음악을 들을래요?

안녕하세요? 우리 동아리에서 ' 한국 음악 모임 '을/를 하려고 해요. 이번 모임에서는 한국 음악을 들으면서 한국어를 공부할 거예요.

모임 장소는 세종학당 앞 하나 카페예요/이에요. 세종학당에서부터 걸어서 10분쯤 걸려요. 세종학당 정문에서 횡단보도를 건너면 식당이 있어요. 그 식당에서 왼쪽으로 걸어오면 하나 카페가 있어요.

★ 날짜와 시간: 1일 수요일 오후 3시

★ 장소: 세종학당 앞 하나 카페

★ 참여 방법: 함께 하고 싶은 친구들은 25일까지 여기로 메일을 보내세요! *****@sjmail.com

03 할머니께서 직접 만드신 목걸이예요

어휘와 표현	1번	14쪽

1)

② 포장을 풀어요.

③ 선물을 골라요.

④ 선물을 줘요.

⑤ 선물을 꺼내요.

⑥ 선물을 받아요.

2)
(③) → (①) → (④) → (⑥) → (②) → (⑤)

| 어휘와 표현 | 2번 | 14쪽 |

[예시]
저는 친구에게 넥타이를 선물한 적이 있어요. 친구가 취직했을 때 선물했어요. 친구가 넥타이를 아주 좋아했어요.

| 문법 | 2번 | 15쪽 |

[예시]

	주고 싶은 사람	주고 싶은 것	주고 싶은 이유
2)	미나	펜	미나 씨가 펜을 좋아해요.
	지민, 마이	한국 기념품	한국을 좋아해요.

미나 씨가 펜을 좋아하니까 미나 씨에게만 펜을 주고 싶어요. 그리고 아버지께 선물 받은 한국 기념품이 많이 있어요. 지민 씨도 한국을 좋아하니까 한국 기념품을 주고 싶어요. 마이 씨에게도 한국 기념품을 주고 싶어요.

| 듣고 말하기 | 1번 | 16쪽 |

1) 부모님께 드릴 기념품, 친구들에게 줄 선물
2)
① 뭘 도와드릴까요
② 부모님께 드릴 기념품
③ 아주 좋아하세요
④ 친구들에게도
⑤ 손님들이 많이 사세요
⑥ 화장품이 좋을 것 같아요
⑦ 마음에 드시는 것

| 듣고 말하기 | 2번 | 16쪽 |

[예시]

	무슨 선물을 주고 싶어요?	왜 그 선물을 주고 싶어요?
1)	과일(망고)	달고 맛있어요.

외국인 친구가 놀러 오면 망고를 선물하고 싶어요. 우리 나라 망고는 아주 달고 맛있어서 인기가 많아요.

| 읽고 쓰기 | 1번 | 17쪽 |

1) 마리 씨는 대학교 3학년 때 한국어 수업에서 김 선생님을 만났어요.
2) 김 선생님께서 학생들을 집으로 초대하셨어요. 김 선생님 댁에 가서 한국 음식을 같이 먹으면서 많은 이야기를 했어요.
3) 추억 이야기를 하려고 썼어요.
4) 추억 이야기에 관심이 있는 사람은 모두 읽을 수 있어요.

| 읽고 쓰기 | 3번 | 17쪽 |

1)

저는 대학교 3학년 때 한국어 수업을 들었습니다. 그때 김 선생님을 만났습니다. 김 선생님은 아주 친절한 분이셨습니다. 수업도 재미있어서 학생들이 모두 김 선생님을 좋아했습니다. 어느 날, 김 선생님께서 학생들을 집으로 초대하셨습니다. 우리는 김 선생님 댁에 가서 한국 음식을 같이 먹으면서 많은 이야기를 했습니다. 저는 선생님께 한국어를 배우고 한국 회사에서 일을 하고 싶었습니다. 그리고 열심히 공부해서 지금은 한국 회사에서 일을 하고 있습니다. 김 선생님은 지금도 제 고향의 대학에서 한국어를 가르치고 계십니다. 다시 고향에 가면 김 선생님을 만나고 싶습니다.

04 세종학당에 오다가 중학교 때 친구를 만났어요

| 어휘와 표현 | 1번 | 18쪽 |

[예시]

힘들어요 — 저는 수업이 많을 때 힘들어요. 힘들 때는 집에서 쉬어요.

짜증이 나요 — 저는 숙제가 많을 때 짜증이 나요. 짜증이 날 때는 커피를 마셔요.

걱정이 많아요 — 저는 시험이 있을 때 걱정이 많아요. 걱정이 많을 때는 공원에 가요.

지루해요 — 저는 뉴스를 볼 때 지루해요. 지루할 때는 케이팝(K-POP)을 들어요.

화나요 — 저는 친구와 싸울 때 화가 나요. 화가 날 때는 자전거를 타요.

| 어휘와 표현 | 2번 | 18쪽 |

[예시]
기분이 너무 좋아요!/
행복해요.

| 문법 | 1번 | 19쪽 |

[예시]
저는 주말마다 등산을 하다가 그만둔 적이 있어요. 등산은 좋았지만 힘들어서 그만두었어요. 봄에 다시 등산하고 싶어요.

| 듣고 말하기 | 1번 | 20쪽 |

1) ④
2) ③

듣고 말하기 | 2번 | 20쪽

[예시]
콘서트에 갔는데 제가 좋아하는 가수와 손을 잡았어요.

읽고 쓰기 | 1번 | 21쪽

[예시]

언제 경험한 일이에요?	한국을 여행할 때
누구와, 무엇과 관계가 있어요?	한국 친구 민호
무슨 일이 있었어요?	한국을 여행할 때 사귄 친구인데 오랜만에 다시 만났어요.
그때 기분은 어땠어요?	정말 반가웠어요.

읽고 쓰기 | 2번 | 21쪽

[예시]

한국 친구 민호

저는 작년에 한국을 여행할 때 한국 친구 민호를 만났습니다. 민호는 저에게 한국을 소개해 줬습니다. 그동안 연락을 못 했는데 오랜만에 다시 만났습니다. 정말 반가웠습니다.

05 공연 중에 핸드폰을 사용하지 마세요

어휘와 표현 | 1번 | 22쪽

1) - 친구와 떠들어요.
2) - 핸드폰을 사용해요.
3) - 자리에서 일어나요.
4) - 공연 중간에 나가요.
5) - 박수를 쳐요.

어휘와 표현 | 2번 | 22쪽

[예시]
2) - 1) - 3) - 4) - 5)

저는 어제 친구와 영화를 보러 갔어요. 영화를 보는데 옆에 있는 사람은 자꾸 핸드폰을 사용하고 앞에 있는 사람은 친구와 떠들었어요. 그리고 영화가 끝나지 않았는데 자리에서 일어나서 중간에 나가는 사람도 있었어요. 너무 불편했지만 영화는 정말 재미있었어요. 그래서 영화가 끝나고 박수를 쳤어요.

문법 | 1번 | 23쪽

1) 막히네요
2) 빨리 도착했네요
3) 예쁘네요
4) 멋있네요

문법 | 2번 | 23쪽

④

문법 | 3번 | 23쪽

[예시]

- 장소: 교실
- 수업 시간에 늦지 마세요
- 핸드폰을 사용하지 마세요
- 친구와 떠들지 마세요

듣고 말하기 | 1번 | 24쪽

1) ③
2) ②, ③, ④, ⑤

듣고 말하기 | 2번 | 24쪽

[예시]
공연 중에 박수를 쳐도 돼요. /
공연 중간에 나가면 안 돼요.

읽고 쓰기 | 1번 | 25쪽

1)
재민 씨가 썼어요.
안나 씨하고 같이 있어요.
행복식당에 있어요.
마리 씨가 '좋아요'를 눌렀어요.
댓글이 3개 있어요.
2)
수지 씨가 썼어요.
한국 지하철 이야기를 썼어요.
안나 씨가 '좋아요'를 눌렀어요.
2명이 공유했어요.

읽고 쓰기 | 2번 | 25쪽

[예시]
다른 사람이 쓴 글을 공유할 수 있어요.

06 여기에서 노트북을 사용해도 돼요?

어휘와 표현 | 1번 | 26쪽

	😊	☹
1) 공원에서 쓰레기를 버려요.		✓
2) 버스를 탈 때 천천히 타요.	✓	
3) 지하철을 탈 때 줄을 서서 기다려요.	✓	
4) 은행에서 급한 일이 있어서 시끄럽게 통화해요.		✓
5) 지하철역에 사람이 많아서 안전선을 넘어서 기다려요.		✓

어휘와 표현 | 2번 | 26쪽

2) [예시]
저는 작은 극장에서 연극을 봤어요. 공연 중에 배우가 저에게 와서 이야기했어요.

어휘와 표현 | 3번 | 26쪽

2) [예시]
영화관에서 앞자리에 사람이 없어서 자리를 바꾸었어요. 나중에 그 자리에 사람이 와서 깜짝 놀랐어요.

문법 | 1번 | 27쪽

[예시]

가: 박물관에서 사진을 찍어도 돼요?
나: 아니요. 안 돼요.

문법 | 2번 | 27쪽

[예시]

장소	☐ 병원 ☐ 은행 ☐ 공항 ☐ 지하철역 ☑ 카페
해도 되는 것	• 음료수를 마셔도 돼요. • 노트북을 사용해도 돼요.
하면 안 되는 것	• 쓰레기를 버리면 안 돼요. • 여기저기 뛰어다니면 안 돼요.

듣고 말하기 | 1번 | 28쪽

1) ①
2)
① ×
② ×
③ ○
3) ①

[예시]

가: 교실에서 뛰어다녀도 돼요?
나: 아니요. 교실에서 뛰어다니면 안 돼요.

읽고 쓰기 | 1번 | 29쪽

[예시]
우리 나라에서는 지하철에서 물을 마시면 안 돼요.

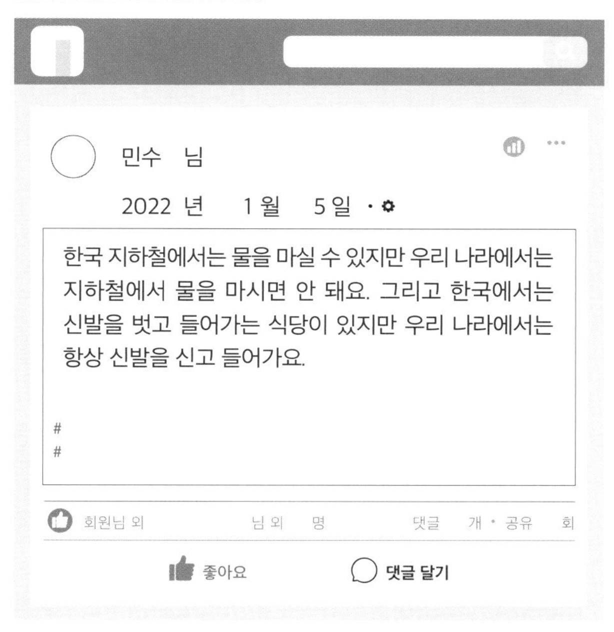

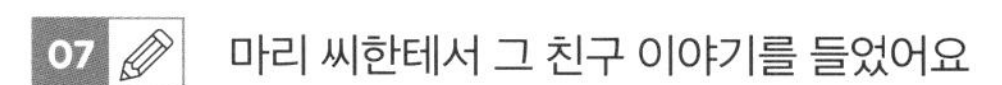

07 마리 씨한테서 그 친구 이야기를 들었어요

어휘와 표현 | 1번 | 30쪽

[예시]
저는 성격이 밝고 재미있어요. 하지만 저는 말이 조금 많고 성격이

급해요. 말이 조금 적었으면 좋겠어요.

어휘와 표현	2번	30쪽

[예시]
1) 성격이 밝은 사람이 좋아요
2) 재미있는 성격이에요
3) 부지런하고 조용한 사람을 만나고 싶어요

문법	1번	31쪽

[예시]
1) 저는 졸업식 때 부모님께 꽃다발을 받았어요.
2) 저는 할머니께 옛날이야기를 들었어요.
3) 저는 친구에게서 크리스마스 선물을 받았어요.

문법	2번	31쪽

[예시]
1) 맛있는 음식 냄새가 났어요
2) 사람이 아주 많았어요
3) 멋있는 지갑이 있었어요
4) 음식이 없었어요
5) 중학교 때 친구였어요
6) 친구들이 선물을 들고 있었어요

듣고 말하기	1번	32쪽

1) ②
2)
① ×
② ○
③ ○

듣고 말하기	2번	32쪽

2)
가: 우리 팀에 새로 온 직원을 알아요?
나: 아니요. 아직 못 만났어요. 어떤 사람이에요?
가: 과장님한테서 들으니까 다른 사람을 잘 도와주는 사람인 것 같아요.
3)
가: 우리 헬스장에 새로 등록한 사람을 알아요?
나: 아니요. 아직 못 만났어요. 어떤 사람이에요?
가: 선생님께 들으니까 재미있고 부지런한 사람이에요.

읽고 쓰기	1번	33쪽

[예시]
1) 미나는 키가 크고 예쁩니다. 그리고 똑똑하고 정말 부지런한 사람입니다. 성격이 조금 급하지만 확인을 잘 해서 실수를 많이 하지 않습니다. 미나는 그림 그리는 것을 좋아합니다.
2) 직업, 취미

읽고 쓰기	2번	33쪽

1) 게으르는 → 게으른
2) 도워줘요 → 도와줘요
3) 없은 → 없는
4) 들었으니까 → 들으니까

08 어렸을 때는 머리가 길었는데 지금은 짧은 머리가 편해요

어휘와 표현	1번	34쪽

[예시]
우리 가족은 모두 키가 좀 작아요. 그런데 저만 키가 커요. 어렸을 때 우유를 많이 마셔서 그런 것 같아요.

문법	1번	35쪽

1) ◎ × →
2) ○ ⊗ → 조금밖에 못 마셨어요.
3) ○ ⊗ → 10분밖에 없어요.
4) ◎ × →
5) ◎ × →
6) ◎ × →

문법 | 2번 | 35쪽

[예시]
1번 여자는 강아지가 있는 티셔츠를 입고 있는데 2번 여자는 고양이가 있는 티셔츠를 입고 있어요.

듣고 말하기	1번	36쪽

1) 핸드폰
2) ④

듣고 말하기	2번	36쪽

[예시]

1)

손님이 한국에 오는데 오늘 급한 일이 생겨서 제가 못 가요. 혹시 공항에 가 줄 수 있어요? 남자 분인데 키가 좀 크고 머리가 짧아요. 정장을 입고 까만 구두를 신고 있어요. 안경을 쓰고 노트북 가방을 들고 있어요. 사진을 핸드폰으로 보내 줄게요. 비행기는 5시에 도착해요. 부탁해요.

2)

손님이 한국에 오는데 오늘 급한 일이 생겨서 제가 못 가요. 혹시 공항에 가 줄 수 있어요? 여자 분인데 키가 좀 크고 머리가 길어요. 바지를 입고 운동화를 신고 있어요. 안경을 쓰고 핸드폰을 들고 있어요. 사진을 핸드폰으로 보내 줄게요. 비행기는 5시에 도착해요. 부탁해요.

3)

손님이 한국에 오는데 오늘 급한 일이 생겨서 제가 못 가요. 혹시 공항에 가 줄 수 있어요? 남자 분인데 키가 좀 작고 머리가 짧아요. 흰 티셔츠에 운동화를 신고 있어요. 모자를 쓰고 노트북을 들고 있어요. 사진을 핸드폰으로 보내 줄게요. 비행기는 5시에 도착해요. 부탁해요.

읽고 쓰기	1번	37쪽

[예시]

처음 만난 시기	중학생 때
지금 하는 일	영어 선생님
성격	부지런하고 성격이 좋아요.
외모	머리가 짧고 키가 작아요.
좋아하는 것	한국 드라마
특별한 기억	같이 한국에 여행을 갔어요.

읽고 쓰기	2번	37쪽

[예시]

소중한 지나

저의 친한 친구는 지나입니다. 저는 중학생 때 지나를 처음 만났습니다. 지나는 지금 학교에서 영어를 가르치는 영어 선생님입니다. 지나는 키가 조금 작고 머리가 짧습니다. 그리고 부지런하고 성격이 아주 좋아서 학생들에게 인기가 많습니다. 지나는 한국 드라마를 아주 좋아해서 저하고 같이 한국에 여행도 갔습니다. 저에게 아주 소중한 친구입니다.

09 저도 그런 사람을 만나고 싶은데요!

어휘와 표현	1번	38쪽

[예시]

수지 씨는 우리 반에서 잘 웃는 사람이에요.

어휘와 표현	2번	38쪽

[예시]

- 우리 반에서 지민 씨가 말이 빨라요.
- 우리 반에서 안나 씨가 노래를 잘 불러요.

문법	1번	39쪽

1) ②, '샀어요'로 바꿔요. '-기 때문에'는 '-(으) ㄹ까요?'와 같이 쓰지 않아요.
2) ①, '의사이기 때문에'로 바꿔요. 이 사람이 의사예요. 그래서 '이다'를 같이 써서 '의사이기 때문에'로 바꿔요.
3) ②, '탈 거예요'로 바꿔요. '-기 때문에'는 '-(으) ㅂ시다'와 같이 쓰지 않아요.
4) ①, '스트레스 때문에'로 바꿔요. 이 사람은 스트레스를 받아서 잘 못 자요. 그래서 '이다'를 빼고 '스트레스 때문에'로 바꿔요.
5) ①, '먹었기 때문에'로 바꿔요. '-기 때문에'는 '-겠-'하고 같이 쓰지 않아요.

문법	2번	39쪽

1) 정말 예쁜데요
2) 정말 넓은데요
3) 경치가 좋은데요
4) 정말 맛있는데요

듣고 말하기	1번	40쪽

1) ②

2)

① ×

② ○

③ ○

④ ×

듣고 말하기	2번	40쪽

[예시]

저는 재민 씨에게 마이 씨를 소개해 줄 거예요. 마이 씨는 마음이 따뜻하고 잘 웃는 사람이에요. 그리고 마이 씨도 사진 찍는 것을 좋아하니까 재민 씨하고 취미가 비슷해요. 그래서 재민 씨하고 마이 씨하고 잘 맞을 것 같아요.

읽고 쓰기 | 1번 | 41쪽

[예시]

1) 이 사람의 버킷 리스트는 외국인 친구 사귀기예요. 외국에서 혼자 살아 보기는 저의 생각과 비슷해요.
2) 꼭 먹어 보고 싶은 것

 산악자전거는 조금 위험한 편이에요

어휘와 표현 | 1번 | 42쪽

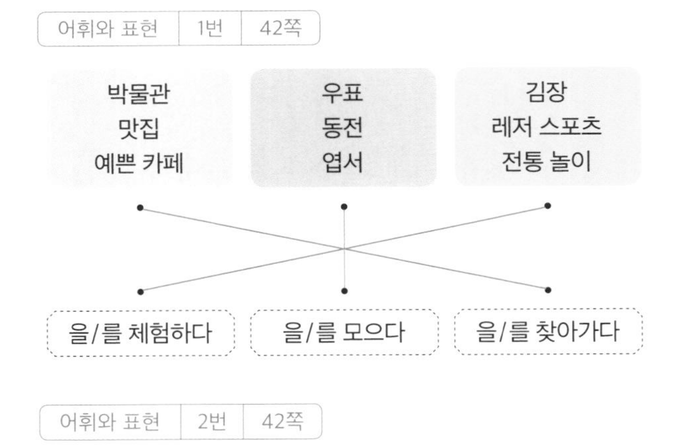

어휘와 표현 | 2번 | 42쪽

[예시]

1) 연기를 배우는 게 어때요?
2) 여행 모임에 가입하는 게 어때요?

문법 | 1번 | 43쪽

[예시]

1) 우리 나라는 날씨가 더운 편이에요.
2) 우리 나라 음식은 매운 편이에요.
3) 우리 나라는 백화점이 많아서 쇼핑하기 좋은 편이에요.
4) 우리 나라는 음식이 싼 편이에요.

문법 | 2번 | 43쪽

1) 먹게
2) 회의하게
3) 자게
4) 듣게
5) 이야기하게
6) 공부하게
7) 이해하게

듣고 말하기 | 1번 | 44쪽

1) ③

2)

남자: 드디어, 취직했어요, 쉽지 않았어요, 이렇게 취직돼서

여자: 체험이, 바꿨네요

듣고 말하기 | 2번 | 44쪽

2) 저는 호텔에서 결혼하고 싶었어요. 그런데 얼마 전에 친구 결혼식에 참석했어요. 그 친구는 집에서 결혼했어요. 그 후 저는 계획이 바뀌었어요. 저도 집에서 결혼하고 싶어요.
3) 저는 해외여행을 가고 싶었어요. 그런데 얼마 전에 국내 여행 상품권 선물을 받았어요. 그래서 이번에는 국내 여행을 하려고 해요.

읽고 쓰기 | 1번 | 45쪽

[예시]

해외여행 하기/

외국 친구 만들기

읽고 쓰기 | 2번 | 45쪽

[예시]

저는 버킷 리스트에 여러 개를 적었지만 올해는 해외여행을 해 보려고 합니다. 아직 해외에 한 번도 가본 적이 없기 때문입니다. 해외에서 외국 친구도 많이 만나고 싶습니다. 요즘에는 에스엔에스(SNS)가 있기 때문에 해외에서 만난 친구들과 계속 연락할 수 있습니다.

 처음에는 모르는 게 많아서 답답했어

어휘와 표현 | 1번 | 46쪽

[예시]

한국어를 배우기 전

- 한국어를 몰라서 답답했어요.
- 한국어를 많이 틀렸어요.

한국어를 배운 후

- 한국어를 잘해요.
- 한국어를 알아들어요.

한국어를 많이 틀렸는데 지금은 한국어를 알아들어요.

어휘와 표현 | 2번 | 46쪽

[예시]

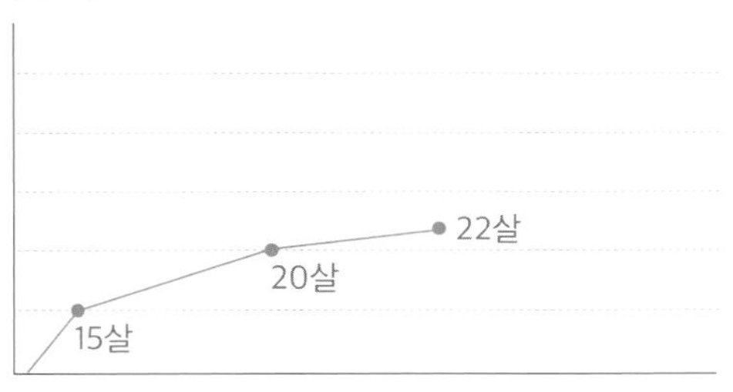

◆ 15살 때 한국 드라마를 처음 봤어요. 그때부터 한국을 좋아했어요.
◆ 20살 때 처음으로 한국어를 배웠어요.
◆ 22살 때 한국에 여행을 갔어요. 그때 한국에서 한국 친구를 사귀었어요.

| 문법 | 1번 | 47쪽 |

→ 반말로 바꾸어 보세요.

수지: 와, 사람이 아주 많네 !
유진: 그렇지? 여기 안내 자료 받아 .
수지: 고마워 . 나는 춤 공연을 처음 보는데 뭘 조심해야 돼 ?
유진: 다른 공연하고 비슷해 . 시작 전에 미리 들어가야 돼 . 그리고 공연 중에 박수를 치지 말고 핸드폰을 사용하지 마 .
수지: 응 . 알겠어 . 공연이 재미있었으면 좋겠어 .

[예시]

→ <3과>

주노: 안나 씨, 오늘 목걸이가 예뻐요. 새로 샀어요?
안나: 아, 아니요. 작년 크리스마스에 받은 선물이에요. 우리 할머니께서 직접 만드신 목걸이예요.
주노: 와, 직접요? 할머니께서 너무 멋있으세요.
안나: 네. 그래서 저에게 정말 소중한 목걸이예요. 디자인은 조금 다르지만 동생에게도 주셨어요.
주노: 목걸이를 볼 때마다 할머니가 생각날 것 같아요.
안나: 네. 지금 할머니 이야기를 하니까 할머니가 더 보고 싶어요.

→ 반말로 바꾸어 보세요.

주노: 안나, 오늘 목걸이가 예뻐. 새로 샀어?
안나: 아, 아니. 작년 크리스마스에 받은 선물이야. 우리 할머니께서 직접 만드신 목걸이야.
주노: 와, 직접? 할머니께서 너무 멋있으셔.
안나: 응. 그래서 나에게 정말 소중한 목걸이야. 디자인은 조금 다르지만 동생에게도 주셨어.
주노: 목걸이를 볼 때마다 할머니가 생각날 것 같아.
안나: 응. 지금 할머니 이야기를 하니까 할머니가 더 보고 싶어.

| 문법 | 2번 | 47쪽 |

[예시]
너에게도 전화할게.
여기에서는 조용히 해야 해.
교실에도 꽃이 많아.
선생님께서는 커피를 드셨어.

| 듣고 말하기 | 1번 | 48쪽 |

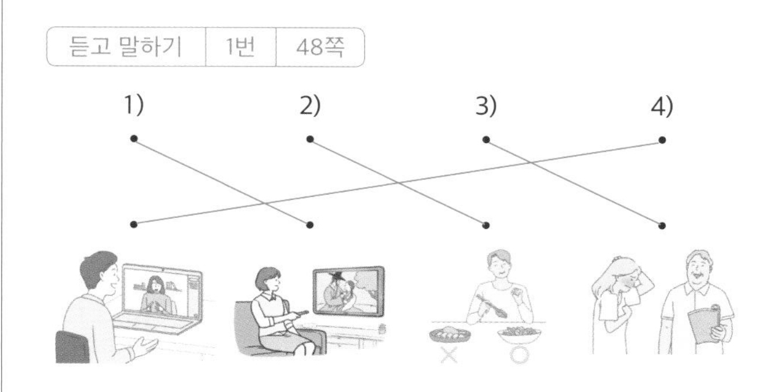

| 듣고 말하기 | 2번 | 48쪽 |

[예시]

질문	나	친구
답답할 때가 있었어요?	아직 한국어를 잘 못해서 답답했어요.	
그때 어떻게 했어요?	한국어를 많이 공부하고 천천히 말했어요.	

| 읽고 쓰기 | 1번 | 49쪽 |

1)
① ○
② ×
2)
① 스물두 살의 안나가 이 글을 썼어요.
② 5년 후 안나가 읽을 거예요.
③ 5년 후의 안나는 어떻게 살고 있는지 궁금해서 편지를 쓰고 있어요.

12 난 너처럼 카페를 하고 싶어

| 어휘와 표현 | 1번 | 50쪽 |

[예시]
한국 노래를 잘 부르고 싶어요.
춤을 잘 추고 싶어요.
한국어를 잘하고 싶어요.

어휘와 표현 | 2번 | 50쪽

[예시]

잘하고 싶은 것: 한국 노래를 잘 부르고 싶어요.
①부터 ②까지 하면 한국 노래를 잘 부를 수 있을 거예요.
① 한국 노래를 많이 들어요.
② 노래를 따라 불러요.

문법 | 1번 | 51쪽

[예시]

2)

친구 이름: 미나
친구의 특징: 키가 커요
비슷한 사람이나 물건: 모델

미나는 모델처럼 키가 커요.

문법 | 2번 | 51쪽

[예시]

저는 피아노를 못 쳤는데 2년 전부터 배웠어요. 그래서 지금은 잘 치게 되었어요.

듣고 말하기 | 1번 | 52쪽

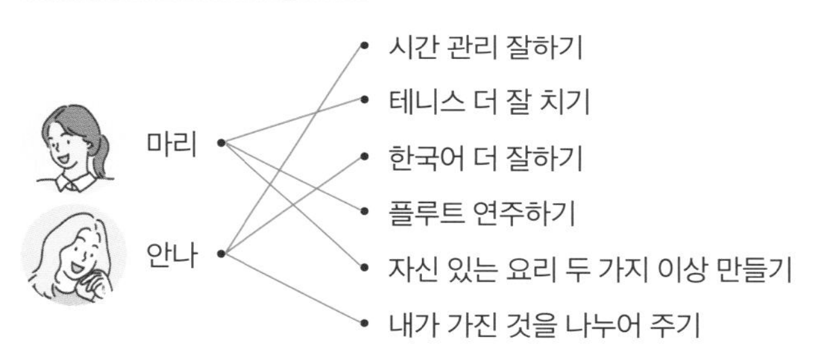

듣고 말하기 | 2번 | 52쪽

[예시]

2)

주제: 음식
① 맛있는 음식 먹는 것을 좋아해요?
② 맛있는 음식 만드는 것을 좋아해요?
③ 맛집에 가서 사진 찍는 것을 좋아해요?

3)

맛있는 음식 먹기	맛있는 음식 만들기	맛집에 가서 사진 찍기
4명	2명	3명

읽고 쓰기 | 1번 | 53쪽

[예시]

스물다섯 살의 민수에게
안녕. 그동안 잘 지냈어?
5년 동안 잘 지냈는지 궁금해.
자막 없이 한국 드라마를 보고 싶어 했는데 잘 보고 있지? 그리고 한국에 가고 싶어 했는데 한국에 다녀왔어? 5년 후의 네 모습이 궁금해서 편지를 쓰고 있어. 편지를 쓰니까 5년 후의 네 모습이 보고 싶어. 너는 성격이 좋으니까 지금도 잘 지내고 있을 거야. 그렇지?
늘 너를 사랑해. 다음에 또 쓸게. 안녕.

2022년 12월의 겨울에,
- 스무 살의 민수가.

어휘와 표현 색인

2B

자료 출처

2B

※ 이 교재는 산돌폰트 외 Ryu 고운한글돋움OTF, Ryu 고운한글바탕OTF 등을 사용하여 제작되었습니다. Ryu 고운한글돋움OTF, Ryu 고운한글바탕OTF 서체는 서체 디자이너 류양희 님에게서 제공 받았습니다.

※ 강승희, 곽명주, 박가을, 이재영, 정원교 작가와 함께 작업했습니다.

| 게티이미지코리아 |

2과 11쪽　5과 25쪽_1번 (SNS 화면 속 사진, 좌로부터)①

| 셔터스톡 |

스피커 아이콘

말풍선

문서 아이콘

연필 아이콘

1과 7쪽; 8쪽; 9쪽　2과 10쪽_2번; 12쪽　3과 16쪽; 17쪽　4과 18쪽; 19쪽　5과 23쪽_1번 (보기)우/1)/3)/4), 2번; 24쪽_1번 2)③, 2번; 25쪽　6과 26쪽_1번; 27쪽_1번 (상, 좌로부터)①/②; 28쪽_1번, 2번 (상, 좌로부터)③, (하, 좌로부터)②; 29쪽　7과 30쪽_1번; 31쪽; 33쪽　8과 34쪽_1번, 2번 1)우(가위바위보)/2)/3); 37쪽_2번 (노트)　9과 39쪽; 41쪽　10과 42쪽; 43쪽; 44쪽; 45쪽　11과 46쪽; 49쪽　12과 50쪽; 53쪽　부록 55쪽; 79쪽

활동카드

문법 | 2번 | 7쪽

누가 제 한국어 쓰기 숙제를 도와줄 수 있어요? 자기소개를 써야 해요.	버스를 타야 하는데 지갑에 돈이 없어요. 누가 저에게 돈을 빌려줄 수 있어요?	교실이 너무 더러워요. 누가 저하고 같이 청소했으면 좋겠어요.
빵이 많이 남았어요. 누가 빵을 더 먹을래요?	친구들을 파티에 초대해야 하는데 누가 친구들에게 연락할래요?	수업 시작했는데 OO 씨가 없어요. 누가 OO 씨에게 전화할 수 있어요?
파티에 꽃이 필요한데 누가 준비할래요? 누가 꽃을 잘 알아요?	이 커피 맛있는데 누가 마실래요? 누가 커피를 좋아해요?	배가 고픈데 우리 음식을 주문할까요? 누가 맛있는 식당을 알아요?
내일 일찍 와서 모임을 준비해야 하는데 누가 일찍 올 수 있어요?		

활동카드

어휘와 표현 | 1번 | 10쪽_1

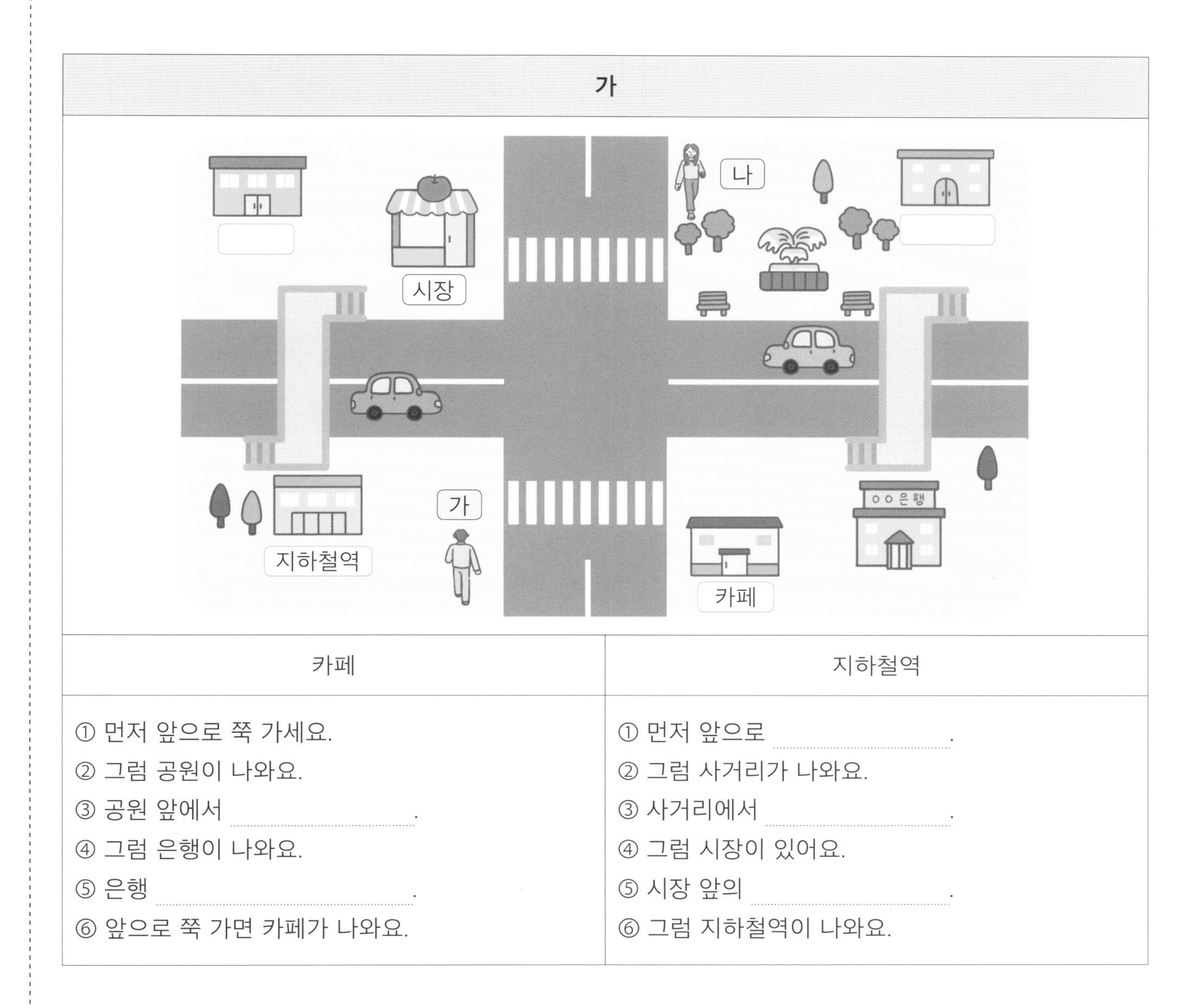

카페	지하철역
① 먼저 앞으로 쭉 가세요. ② 그럼 공원이 나와요. ③ 공원 앞에서 .... ④ 그럼 은행이 나와요. ⑤ 은행 .... ⑥ 앞으로 쭉 가면 카페가 나와요.	① 먼저 앞으로 .... ② 그럼 사거리가 나와요. ③ 사거리에서 .... ④ 그럼 시장이 있어요. ⑤ 시장 앞의 .... ⑥ 그럼 지하철역이 나와요.

나	
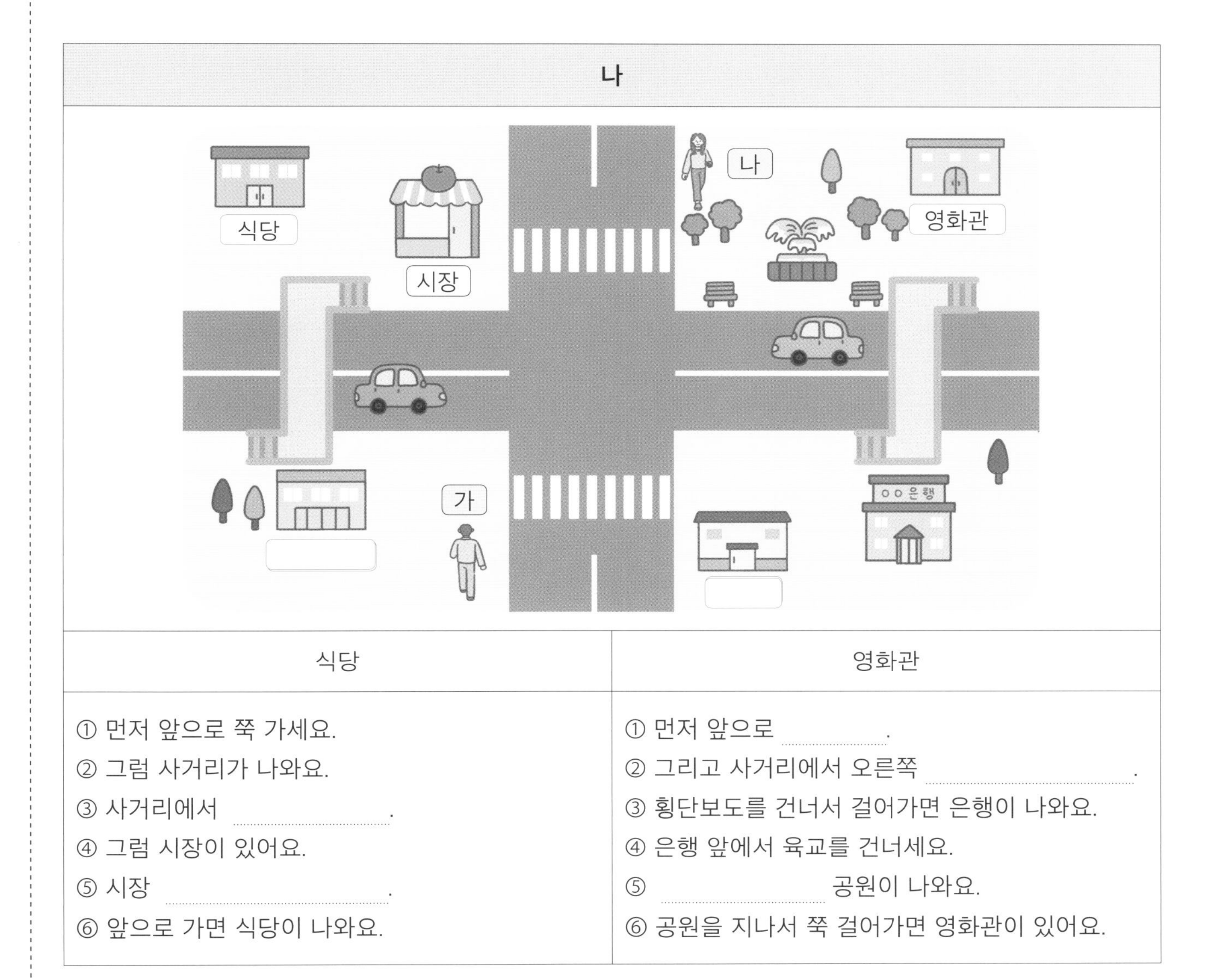	
식당	영화관
① 먼저 앞으로 쭉 가세요. ② 그럼 사거리가 나와요. ③ 사거리에서 .... ④ 그럼 시장이 있어요. ⑤ 시장 .... ⑥ 앞으로 가면 식당이 나와요.	① 먼저 앞으로 .... ② 그리고 사거리에서 오른쪽 .... ③ 횡단보도를 건너서 걸어가면 은행이 나와요. ④ 은행 앞에서 육교를 건너세요. ⑤ .... 공원이 나와요. ⑥ 공원을 지나서 쭉 걸어가면 영화관이 있어요.

활동카드

문법 | 1번 | 15쪽

동생	오빠	친구	주노 씨	안나 씨
아버지	어머니	할머니	할아버지	선생님
영화를 보다	요리를 하다	HELLO 영어를 가르치다	책을 읽다	음악을 듣다
빵을 먹다	운동을 하다	자다	자전거를 타다	춤을 추다

메모

세종한국어 | 더하기 활동 2B

문화체육관광부
국립국어원

(07511) 서울 강서구 금낭화로 154
전화: +82(0)2-2669-9775
전송: +82(0)2-2669-9747
홈페이지 http://www.korean.go.kr

기획·담당	박미영	국립국어원 학예연구사
	조 은	국립국어원 학예연구사
책임 집필	이정희	경희대학교 국제교육원 교수
공동 집필	이수미	성균관대학교 학부대학 대우교수
	한윤정	경희대학교 K-컬처·스토리콘텐츠연구소 연구교수
	신범숙	서울대학교 언어교육원 대우전임강사
	민유미	서울대학교 언어교육원 대우전임강사
집필 보조	김연희	경희대학교 국어국문학과 박사수료
	홍세화	경희대학교 국어국문학과 박사과정
	정성호	경희대학교 국어국문학과 박사수료
	서유리	경희대학교 국어국문학과 박사과정

초판 1쇄 인쇄 2022년 8월 15일
초판 1쇄 발행 2022년 9월 1일
ISBN 978-89-97134-53-3 (14710)
ISBN 978-89-97134-21-2 (세트)

© 국립국어원, 2022

이 책의 저작권은 국립국어원에 있습니다.
저작권자의 허락 없이 내용의 일부를 인용하거나
발췌하는 것을 금합니다.

출판·유통 공앤박 주식회사(www.kongnpark.com)
(05116) 서울시 광진구 광나루로56길 85,
프라임센터 1518호
전화: +82(0)2-565-1531
전송: +82(0)2-3445-1080
전자우편: info@kongnpark.com

총괄 | 공경용
책임 편집 | 이유진, 이진덕, 여인영
편집 | 김령희, 성수정, 최은정, 함소연
아트디렉팅 | 오진경
디자인 | 이종우, 서은아, 이승희
제작 | 공일석, 최진호
IT 지원 | 손대철, 김세훈
마케팅 | Sung A. Jung, Paulina Zolta, 윤성호